Somos la revolución

Somos la revolución

Qué amenaza a la democracia y por qué debemos actuar ahora

Joshua Wong
con Jason Y. Ng

INTRODUCCIÓN DE
Ai Weiwei

Traducción de Enrique Alda

Rocaeditorial

Título original: *Unfree Speech*

© 2020, Joshua Wong y Jason Y. Ng
Primera publicación en 2020 por WH Allen, un sello de Ebury Publishing.
Ebury Publishing forma parte del grupo Penguin Random House.

Epígrafe de la página 225 © Martin Luther King, reproducido con permiso.

Este libro es una obra de no ficción basada en la vida, experiencias y recuerdos
de los autores. En algunos casos, nombres de personas, lugares, fechas, secuencias
y el detalle de los hechos han sido modificados para proteger la privacidad de otros.

Los autores y el editor agradecen el permiso otorgado para reproducir el material
con derechos de autor en este libro. Se ha realizado todo esfuerzo para localizar
a los titulares de derechos de autor y obtener su permiso. El editor se disculpa
por cualquier error u omisión y, si se le notifica cualquier corrección, hará
el reconocimiento adecuado en futuras reimpresiones o ediciones de este libro.

Primera edición: febrero de 2020

© de la traducción: 2020, Enrique Alda
© de esta edición: 2020, Roca Editorial de Libros, S. L.
Av. Marquès de l'Argentera, 17, pral.
08003 Barcelona
actualidad@rocaeditorial.com
www.rocalibros.com

Impreso por Liberdúplex
Sant Llorenç d'Hortons (Barcelona)

ISBN: 978-84-18014-51-2   **33614082045302**
Depósito legal: B 680-2020
Código IBIC: JPV; LNDC

RE14512

Para los que han perdido su libertad
luchando por Hong Kong

Índice

Introducción

Una nueva generación de rebeldes

Joshua Wong representa una nueva generación de rebeldes. Nacieron en la era globalizada post-Internet, a finales de la década de 1990 y comienzos de la de 2000, en una sociedad moderna con una estructura de conocimientos relativamente democráticos y libres. Su visión del mundo es notablemente distinta a la de la cultura capitalista establecida, obsesionada con los beneficios por encima de todo.

De la Revolución de los Paraguas de 2014 hasta las actuales protestas, que han instigado más de cien días de resistencia, en Hong Kong hemos sido testigos del ascenso de unos nuevos y singulares rebeldes. Joshua y sus contemporáneos son la vanguardia de ese fenómeno. Son íntegros y razonables, transparentes en sus objetivos y tan exactos como las cifras. Lo único que precisan y exigen es un valor: la libertad. Creen que, si se salvaguardan las libertades de los ciudadanos manifestando sus derechos de la forma más visible, se puede conseguir que haya justicia y democracia en cualquier sociedad.

Esta generación entiende, claramente, que la libertad no es una condición dada, sino algo que se consigue con esfuerzo y lucha continuos. Estos jóvenes han cargado con una gran responsabilidad y ahora están pagando por ello. Algunos han perdido una vida prometedora recién comenzada. Pero estos activistas pueden alcanzar sus objetivos, y lo harán, porque todos sabemos que la auténtica libertad no es tal sin dificultades.

El valor de la verdadera libertad reside en el trabajo duro y la determinación. Es lo que ha percibido la generación de Joshua a través de la experiencia. Se enfrentan a un régimen autoritario, la encarnación del poder del Estado centralizado, y a la represión de los derechos humanos, que se produce en China y en otros países del mundo. La magnitud de lo que simboliza ese régimen equipara el esfuerzo de la generación de Joshua al del heroísmo que muestran los mitos: el del desvalido que lucha contra las poderosas fuerzas oscuras. Estoy seguro de que los ciudadanos de Hong Kong y los que se manifiestan por sus derechos e ideales en otros países vencerán al gigantesco poder establecido y darán forma al mundo con el más poderoso de los mensajes: libertad y justicia para todos.

La generación de Joshua aboga por dos de los más preciados valores de la humanidad a lo largo de miles de años: la equidad y la justicia social. Son las piedras angulares de toda civilización. A través de la historia, los humanos han pagado un alto precio por defender esos principios: demasiadas muertes, desgracias, traiciones y grandes casos de oportunismo.

En la actualidad, vemos la traición y el oportunismo en todo el llamado mundo libre. En Occidente, son ubicuos. La generación de Joshua desafía abiertamente todos esos actos de hipocresía, debilidad y evasión en nombre de las creencias fundamentales de la humanidad.

Los jóvenes de Hong Kong están materializando un gran ideal social, con un espíritu de sacrificio similar al de la fe o la religión. Unidas, sus acciones, su comprensión inherente del conflicto y su conciencia de la difícil realidad a la que se enfrentan ayudan al mundo a darse cuenta de lo que es una verdadera revolución. Es lo que hemos estado esperando y deseo que todo el mundo sea testigo de esta revolución, guiada por Joshua y su generación.

AI WEIWEI
18 de octubre de 2019

Prefacio

$\mathcal{U}$na de las leyes inmutables de la historia es que no se puede derrotar una idea encarcelando a sus defensores. Es algo que no ha cambiado, pese a que supuestamente existan diferencias entre las grandes civilizaciones del mundo; de hecho, algunas de las grandes lecciones sobre la democracia, la autodeterminación y la desobediencia civil nos las enseñaron personas nacidas en el continente asiático, de Mahatma Gandhi a Kim Dae-Jung.

Tampoco me parece adecuado hablar de la salud sostenible y la vitalidad a largo plazo de una comunidad si sus líderes no pueden tratar con la disidencia sin intentar ahogarla. No se puede censurar la expresión del pensamiento libre con discursos represores en Internet, encarcelando a periodistas o incluso intentando erradicar chistes (no se os ocurra bajo ningún concepto mencionar a alguno de los personajes de *Winnie the Pooh* en Pekín, sobre todo si lleva un paraguas amarillo). Ni se puede evitar que las personas piensen, por poderoso que se sea: es más, tarde o temprano sus buenos pensamientos acaban por expulsar los malos que los autoritarios intentan imponer.

La razón por la que el mundo ha admirado el valor, la determinación y la elocuencia de Joshua Wong y sus compañeros es porque, en general, están haciendo un esfuerzo evidente y razonable por ir a la par de aquellas que han sido, son y serán las aspiraciones humanas. Las sugerencias casuísticas de que la única forma de tratar con Joshua y sus compañeros es recurriendo a la ley provienen de los que callaban y miraban hacia otro lado cuando la policía secreta del Partido Comunista de China secuestraba a personas en Hong Kong sin tener en cuenta su autonomía y sus leyes. Quizá lo que otros vieron nunca pasó realmente.

Joshua y sus compañeros saben que nunca he apoyado a los que hacen campaña para que se utilice la exigencia de rendir cuentas, la democracia, la libertad de expresión y de asamblea, las universidades autónomas y una enérgica sociedad civil sin trabas para conseguir la independencia de Hong Kong. Nos adentraríamos en un peligroso callejón sin salida. Pero las personas razonables deberían preguntarse cómo y por qué ha sucedido todo esto.

¿Acaso ha conseguido aumentar el patriotismo de toda una generación la creciente actividad del Frente Unido de China en Hong Kong, con su intento de estrangular la prometida autonomía de esta comunidad? Ha sucedido, por supuesto, todo lo contrario. Lo que se ha conseguido no es que sus habitantes se sientan menos chinos, sino más orgullosos de ser chinos de Hong

Kong. Resulta extraño que el Partido Comunista de China haya logrado algo que ni siquiera supo hacer el Gobierno colonial británico.

Hace poco tuve dos conversaciones que me dejaron preocupado. La primera fue con una joven hongkonesa que me preguntó llorando qué podría hacerse para evitar el deterioro de la libertad en la ciudad que amaba. La segunda fue con un banquero (que había trabajado en Hong Kong durante muchos años) y que, por primera vez, empezaba a preocuparse sobre el futuro de Hong Kong.

Creo que Joshua Wong y sus compañeros son en cierta forma la respuesta a esos intranquilos amantes de Hong Kong. Mientras su espíritu no se apague —y no lo hará—, estoy seguro de que Hong Kong sobrevivirá como símbolo del potencial de la humanidad para crear grandes cosas con poco. Y, mientras tanto, espero que el mundo preste atención para ver si se puede confiar en que China cumpla su palabra. Por mi parte, y la de muchas otras personas, confío en Joshua mucho más que en el aparato comunista de Pekín o en sus apologistas en esta ciudad y en todas partes del mundo.

CHRIS PATTEN
Último gobernador de Hong Kong
Mayo de 2018

Prólogo

*E*n agosto de 2017, mientras un sol abrasador caía sobre las calles de Hong Kong y los universitarios acababan sus trabajos de verano o volvían de hacer un viaje con la familia, me sentenciaron a seis meses de cárcel por participar en la Revolución de los Paraguas, una revuelta que tuvo una gran repercusión en todo el mundo y que cambió la historia de Hong Kong. Fui conducido inmediatamente a la institución correccional de Pik Uk, situada a poca distancia de la facultad en la que cursaba mis estudios. Tenía veinte años.

El Departamento de Justicia había ganado el recurso de apelación para aumentar mi condena, de ochenta horas de servicios comunitarios a pena de cárcel. Era la primera vez que en Hong Kong se enviaba a prisión a alguien por participar en una reunión no autorizada. Con ello, aquel recurso también me había convertido en uno de los primeros presos políticos de la ciudad.

Pensé en llevar un diario en la cárcel, para que el tiempo pasara más rápido y para dejar constancia de las conversaciones que mantuviera y las actividades que realizara en el interior de los muros de la cárcel. Pensé que quizá algún día podría convertir esas notas en un libro, y este es el resultado.

Este libro consta de tres actos. El primero es una crónica de mi evolución, de cómo pasé de ser un estudiante de catorce años que organizaba campañas a convertirme en el fundador de un partido político y la imagen de un movimiento de resistencia contra el largo brazo de la China comunista en Hong Kong y más allá. Es la historia de una génesis que pone al descubierto una década tumultuosa de activismo de base que consiguió que una población de siete millones de habitantes saliera de la apatía política, adquiriera una mayor conciencia de la justicia social y, durante el proceso, acaparara la atención de la comunidad internacional.

En el segundo acto, los lectores encontrarán historias y anécdotas del verano que pasé entre rejas, recogidas en las cartas que escribía cada noche cuando volvía a mi celda, me sentaba en la dura cama y redactaba en la penumbra. Quería compartir mi punto de vista sobre el movimiento político en Hong Kong, la dirección que debería tomar y cómo se espera que dé forma a nuestro futuro. También quería reflejar la esencia de la vida en la cárcel, desde mis conversaciones con los funcionarios de prisiones hasta el tiempo que pasé con otros reclusos viendo las noticias en la televisión y compartiendo historias de abusos a presos. Esa experiencia me acercó aún más a otros activistas encarcelados como Martin Luther King y Liu Xiaobo, dos gigantes que me inspiraron y guiaron espiritualmente durante las horas más aciagas de la ciudad y también de las mías.

El libro acaba con una llamada urgente para que todo el mundo defienda sus derechos democráticos. Incidentes recientes como la controversia suscitada en las redes sociales por la NBA (Asociación Nacional de Baloncesto de Estados Unidos) o la retirada por parte de Apple de una aplicación para rastrear a la policía hongkonesa han demostrado que el detrimento de las libertades que ha acosado a Hong Kong se ha extendido al resto del mundo. Si las multinacionales, los gobiernos y los ciudadanos de a pie no empiezan a prestar atención a lo que está ocurriendo en Hong Kong y no entienden nuestra situación como una señal de aviso, no pasará mucho tiempo antes de que sientan el mismo atentado contra las libertades civiles que los hongkoneses han soportado y resistido día a día en las calles durante las últimas dos décadas.

Con *Somos la revolución*, mi primer libro escrito para un público internacional, espero que los lectores conozcan a un joven en proceso de transición, tanto por lo que a su forma de pensar respecta como a su experiencia vital. Pero este libro también muestra una ciudad en proceso de transición: de colonia británica a región administrativa especial con dominio comunista, de una jungla de cristal y acero a un campo de batalla urbano con máscaras antigás y paraguas, de un preeminente centro financiero a un reluciente bastión de la libertad y la resistencia frente a una amenaza global. Esas transiciones han hecho que me comprometa aún más con la lucha por un Hong Kong mejor, una causa que ha definido mi adolescencia y continúa moldeando a la persona que soy.

En la cárcel de Pik Uk, todos los días comenzaban con la misma y exacta revista matutina: todos los presos se ponían en fila, echaban a andar, se detenían, hacían un giro de noventa grados, miraban a los guardias y manifestaban estar presentes uno a uno. Todos los días me oía gritar las mismas palabras: «¡Buenos días, señor! Yo, Joshua Wong, con el número de preso 4030XX, fui condenado por reunión no autorizada. ¡Gracias, señor!».

Soy Joshua Wong. Mi número de preso era 4030XX. Y esta es mi historia.

Acto I

Génesis

Que nadie menosprecie tu juventud: por el contrario, trata de ser un modelo para los que creen en la conversación, en la conducta, en el amor, en la fe, en la pureza de vida.

TIMOTEO 4, 12

1

Hacia la tierra prometida: la ascensión del nuevo hongkonés

到應許之地：新香港人的崛起

*N*ací en 1996, el año de la rata de fuego, nueve meses antes de que Hong Kong volviera a tener soberanía china.

Según el zodiaco chino, que se divide en ciclos de sesenta años, la rata de fuego es aventurera, rebelde y parlanchina. Aunque al ser cristiano no creo ni en la astrología occidental ni en la oriental, esas predicciones sobre la personalidad me parecen muy acertadas, sobre todo la que me describe como un hablador compulsivo.

«Cuando Joshua todavía era un bebé, incluso con el biberón en la boca, hacía todo tipo de ruidos, como si estuviera dando un discurso.» Así es como sigue presentándome mi madre a los nuevos miembros de nuestra iglesia. No recuerdo cómo era de niño, pero su descripción es muy verosímil y la creo.

Cuando tenía siete años, me diagnosticaron dislexia, un trastorno que dificulta la escritura y la lectura. Mis padres se dieron cuenta enseguida, pues tenía problemas incluso con los caracteres chinos más básicos. Era incapaz de distinguir palabras sencillas como «grande» (大) o «muy» (太), que los alumnos de preescolar aprendían en un día. Cometí los mismos errores en los deberes y en los exámenes hasta bien entrada la adolescencia.

Pero mis problemas de aprendizaje no afectaron la forma de expresarme. Hablar con confianza compensaba mi debilidad. Los micrófonos y yo nos llevábamos bien. De niño contaba chistes en las reuniones parroquiales y hacía preguntas que no se atrevían a formular ni los niños mayores que yo. Bombardeaba al pastor y a los mayores con dudas como: «Si Dios es tan misericordioso, ¿por qué deja que sufra la gente en casas jaula en Hong Kong?», o: «Damos donativos a la iglesia todos los meses, ¿dónde va a parar ese dinero?».

Cuando mis padres me llevaban de viaje a Japón o a Taiwán le arrebataba el megáfono al guía y compartía datos que había encontrado en Internet sobre lugares que visitar o cosas que hacer, y pasaba de un tema a otro como si fuera lo más normal del mundo. Los viajeros aplaudían entusiasmados.

Mi locuacidad y mi curiosidad innata me proporcionaban elogios y risas allá donde iba. Gracias a que era bajito y mofletudo, lo que podría haberse considerado como molesto o arrogante, se me perdonaba por ser «mono», «peculiar» o «precoz». A pesar de que había profesores y padres que deseaban que ese pequeño sabelotodo se callara alguna vez, normalmente eran una minoría y en el colegio y en la iglesia me idolatraban. «Tu

hijo es especial. Algún día será un abogado excelente»,
le decían los feligreses a mi padre.

En Occidente, en un niño que habla con franqueza
puede verse un político en ciernes o un activista por los
derechos humanos, pero en Hong Kong —uno de los lugares más capitalistas del mundo— esas carreras no se
desearían ni al peor enemigo. Para la mayoría de los padres, el epítome del éxito es desarrollar una lucrativa carrera en la abogacía, la medicina o las finanzas. Pero mis
padres no son así, ni me educaron de esa forma.

Mis padres son cristianos fervientes. Mi padre fue
un profesional en tecnologías de la información antes de
jubilarse anticipadamente para dedicarse a la iglesia y al
trabajo comunitario. Mi madre trabaja en un centro comunitario local que proporciona asesoramiento familiar.
Se casaron en 1989, pocas semanas después de que el
Gobierno chino enviara tanques para aplastar las manifestaciones estudiantiles en la plaza de Tiananmén. Mis
padres decidieron cancelar las celebraciones nupciales y
enviaron notas escritas a mano a sus amigos y familiares con un mensaje muy sencillo: «Nuestro país está en
crisis, los recién casados no deberían andarse con cere-
monias». En una cultura en la que los caros banquetes
de bodas son un rito tan iniciático como la propia boda,
su decisión fue atrevida y noble.

Mi nombre chino, Chi-fung, proviene de la Biblia.
Los caracteres 之鋒 significan «algo afilado», una referencia a Salmos 45, 5 que dice: «¡Que penetren, oh rey,
tus agudas flechas en el corazón de tus enemigos, y que
los pueblos se rindan ante ti!». Mis padres no querían

que atravesara el corazón de nadie, pero sí que dijera la verdad y la utilizara como una espada para cercenar las mentiras y la injusticia.

Fui un niño como otro cualquiera, aunque dotado de una inusual locuacidad. Mi mejor amigo en primaria fue Joseph. Era más alto, más guapo y sacaba mejores notas que yo. Podríamos habernos juntado con los chicos más populares del colegio, pero nuestra tendencia a hablar sin parar, incluso en clase, a pesar de estar a siete pupitres de distancia, nos unió definitivamente. En segundo de primaria (con seis y siete años), nuestro profesor, el señor Szeto, estaba tan harto de que no paráramos de hablar que solicitó al director que en los siguientes cursos nos pusieran en clases diferentes. Pero no lo consiguió.

Joseph y yo éramos inseparables. Después de clase nos veíamos en su casa o en la mía para entretenernos con videojuegos e intercambiar cómics manga. La primera película que vi en el cine fue *El caballero oscuro*, una superproducción de Hollywood cuya acción transcurre en parte en Hong Kong, y lo hice con Joseph.

Teníamos algo más en común. Mis compañeros de clase nacieron después de la transferencia de soberanía. Somos la generación que llegó al mundo durante el acontecimiento político más importante en la historia de Hong Kong. El 1 de julio de 1997, tras ciento cincuenta y seis años de Gobierno británico, Hong Kong se despojó de su pasado colonial y regresó a la China comunista. Se suponía que la transferencia sería motivo de celebración —la reunificación entre madre e hijo y la oportunidad para la élite empresarial local de explotar el todavía emergente mercado en el continente—, pero para la mayoría de los hongkoneses no lo fue. Muchos de nuestros familiares y amigos habían abandonado Hong Kong años antes de esa fatídica fecha, por miedo al Gobierno comunista. Cuando nací, casi medio millón de hongkoneses habían emigrado a Estados Unidos, Canadá, Australia y Nueva Zelanda. Para ellos el comunismo era sinónimo de los disturbios políticos que trajo consigo el Gran Salto Adelante —la fallida campaña económica que tuvo lugar entre 1958 y 1962 con el fin de industrializar China y en la que unos treinta millones de campesinos murieron de hambre— y la Revolución Cultural —el movimiento sociopolítico que se produjo entre 1966 y 1976 y que fue liderado por el presidente Mao Zedong con la intención de depurar las tendencias capitalistas y los rivales políticos—. El comunismo fue la razón por la que ellos y sus padres habían huido a Hong Kong; la idea de que los devolvieran a los «ladrones y asesinos» —en palabras de mi abuela— de los que habían escapado era terrorífica e inconcebible.

Pero, para mí, todo aquello eran rumores. Para alguien que había crecido sin conocer otra cosa que el dominio chino solo eran habladurías y leyendas urbanas. La única bandera que había visto en lugares públicos y en los edificios gubernamentales era la bandera china, roja y con cinco estrellas. Excepto por los autobuses de dos pisos similares a los de Londres y algunos nombres de calles que sonaban muy ingleses, como Hennessy, Harcourt y Connaught, no tengo ningún recuerdo del Hong Kong colonial ni siento ningún apego por el Gobierno británico. Aunque en muchos colegios, como al que iba yo, siguen

dando clase en inglés, se enseña a los alumnos a enorgu-
llecerse de los muchos logros económicos de la moderna China y, sobre todo, de que el Partido Comunista de
China sacó de la pobreza más abyecta a cientos de millones de personas. En clase aprendimos que la Ley Básica, la
miniconstitución hongkonesa, un documento largamente
negociado que elaboraron China y el Reino Unido antes
de la transferencia de soberanía, comienza con esta declaración: «La región administrativa especial de Hong Kong
forma parte inalienable de la República Popular de China». China es nuestra patria y, al igual que todo padre benevolente, siempre tendrá presentes nuestros intereses,
dentro del marco llamado «un país, dos sistemas».

Ese principio se rememoró en la Declaración Conjunta Sino-Británica, el tratado internacional firmado
por China y el Reino Unido en 1984. «Un país, dos sistemas» fue una creación del entonces líder supremo Deng
Xiaoping, que necesitaba una solución para detener el
éxodo de talentos y riqueza de Hong Kong, durante las
conversaciones previas a la transferencia de soberanía.
Deng quería convencer a los ciudadanos que huían de
que Hong Kong se reunificaría con China continental
sin perder su propio sistema económico y político. Hizo
la famosa promesa de que con el Gobierno chino «los
caballos seguirán corriendo y la gente seguirá bailando».

La estrategia de Deng funcionó. «Un país, dos sistemas» ayudó a que Hong Kong tuviera una transición
fluida de colonia de la corona británica a región administrativa especial. Para la mayoría de los ciudadanos la
transferencia tuvo mucho ruido y pocas nueces. Poco

después de que el reloj marcara la medianoche del 30 de junio de 1997, siete millones de hongkoneses pegados a la pantalla de su televisor vieron salir por última vez de la residencia del gobernador a Chris Patten, el último gobernador colonial. Cuando Patten subió a bordo del yate real Britannia, acompañado por el príncipe Carlos, todo el mundo suspiró aliviado, pues, a pesar de la pompa espectacular y la ceremonia, casi nada había cambiado en Hong Kong. Muchos pensaron que los que habían huido por miedo habían tenido una reacción exagerada y habían subestimado la buena voluntad de China.

Mi primera experiencia con «un país, dos sistemas» fue más visceral que la reflejada en los tratados internacionales y los marcos constitucionales. Cuando tenía cinco años, mis padres me llevaron a pasar unas cortas vacaciones a Cantón, capital de la provincia del mismo nombre y de la que forma parte Hong Kong. Fue en 2001, el año en que China entró en la Organización Mundial del Comercio y comenzó su milagro económico.

En aquellos tiempos, Cantón era un páramo comparado con Hong Kong. La conexión a Internet no era buena y muchos sitios web estaban bloqueados. Aunque muchas personas de Cantón hablaban cantonés como nosotros, se comportaban de forma diferente: en Hong Kong nunca nos ponemos en cuclillas ni escupimos en la calle, siempre hacemos cola y esperamos nuestro turno para hablar con los vendedores o el personal de servicio. En China, no era así.

Además, los automóviles circulaban por el otro carril y la gente pagaba con unos billetes pequeños y arrugados llamados renminbi. Los carteles y los menús estaban escritos en caracteres chinos simplificados que me resultaron familiares, pero no eran los mismos que los tradicionales que utilizamos en Hong Kong. Incluso la Coca-Cola sabía diferente, porque el agua que utilizan deja un curioso regusto. Recuerdo que pensé: «Prefiero como son las cosas en Hong Kong».

Desde la generación de mis padres a la mía, los niños de Hong Kong han crecido con anime japonés. Los hongkoneses siempre han considerado a ese país, que posee la economía más avanzada de Asia con diferencia, como un marcador de tendencias culturales y un exportador de ideas geniales. Siempre he sido un fan acérrimo de las series de ciencia ficción llamadas *Gundam*, la versión japonesa de las franquicias Marvel y DC. Muchas de mis favoritas —como *Mobile Suit Gundam 00, Gundam Seed* e *Iron-Blooded Orphans*— comparten una temática común: todas cuentan la historia de un joven huérfano que se esfuerza por encontrar su lugar en el mundo, mientras va de una familia de acogida a otra.

El tema recurrente de los huérfanos en los dibujos animados de las mañanas de los sábados me recuerda a mi ciudad. En muchas formas, Hong Kong es como un huérfano criado por una familia blanca y devuelto a sus padres biológicos chinos sin su consentimiento. La madre y el hijo tienen muy poco en común, desde el idioma a las costumbres, y pasando por la forma en que entienden el gobierno. Cuanto más se fuerza al niño a demostrar cariño y gratitud a su madre perdida durante largo tiempo, más se resiste. Se siente perdido, abandonado y solo. En 1997, «un país, dos sistemas» quizá guio a la antigua colonia en su transición pacífica con el Gobierno chino, pero hizo poco por aliviar su profunda crisis de identidad. Hong Kong es una ciudad que ni es británica ni quiere ser china, y su necesidad de reafirmar una identidad propia crece con el paso del tiempo.

Esto resume el estado de ánimo de mi generación, la primera que se educó después del dominio británico, pero antes de que arraigara el chino. La ambivalencia que siente mi generación hacia su supuesta patria nos motiva a buscar la forma de rellenar ese vacío emocional. Nos esforzamos por encontrar nuestro lugar en el mundo y desarrollar una identidad a propia. Vemos nuestra cultura pop, nuestra lengua, nuestra comida y nuestro estilo de vida como los cimientos de una identidad propia. Los esfuerzos por conservar los barrios pintorescos, apoyar los productos locales y proteger el cantonés para que no lo sustituya el mandarín están convirtiéndose gradualmente en una cruzada por parte de la juventud.

Cuando tenía diez años, la noticia más importante en Hong Kong fue la de las protestas masivas para evitar que demolieran dos queridos e importantes muelles de ferris: el Star Ferry Pier y el Queen's Pier. Esa campaña no se limitó a impedir que prosperara una reurbanización desalmada, sino que se llevó a cabo para defender nuestra joven identidad. Esos brotes de resistencia y rabia solo fueron la punta del iceberg. La ascensión del nuevo hongkonés acababa de comenzar.

ϒ

Pero mi mayoría de edad política entró en compás de espera cuando cumplí doce años. Cuando empecé el último año de primaria, lo único que nos importaba a mis compañeros y a mí era que nos admitieran en un buen centro de enseñanza secundaria. En Hong Kong tenemos un dicho: «El instituto es tu destino», y no es una exageración. El sistema local de educación es feroz y el colegio en el que se estudia puede determinar tu futuro: a qué universidad se va, qué carrera se elige, qué tipo de trabajo se consigue al licenciarse, cuánto dinero se gana, con quién se sale y se casa uno y, en última instancia, el nivel de respeto que se recibe de la sociedad. Por eso los «padres helicóptero» se desviven por diseñar elaborados dosieres para que sus hijos sean más «vendibles» a los centros de enseñanza. La maestría en múltiples instrumentos musicales y en idiomas exóticos es la norma en vez de la excepción.

Yo no era optimista. Sin un currículo arrasador y con un informe debilitado por la dislexia, sabía que tendría que pelear. Pero no me iba a rendir. Si Moisés había conseguido pasar cuarenta años en el desierto antes de que Josué acabara su tarea y guiara a su pueblo a la Tierra Prometida, ¿qué era un poco de trabajo duro para una rata de fuego?

Un refrán chino muy popular dice: «La diligencia compensa las deficiencias». Ese año escondí los videojuegos y los manga y fui a clases privadas más de veinte horas a la semana. Trabajé sobre todo las asignaturas que peor llevaba —Chino e Inglés—, que solían bajar la media de mis notas. El resultado de ese duro trabajo fue que conseguí un 0,1 sobre la nota media mínima que necesitaba para estar en la lista de «los estudiantes recomendados» de mi colegio de primaria. Gracias a la franqueza de mi petición, el director y mi profesor escribieron unas cartas de recomendación que no se centraban en mi capacidad académica, sino más bien en mi «potencial de superación».

En la ronda final de entrevistas para el centro de enseñanza secundaria, el funcionario de admisiones me preguntó: «Si uno de tus compañeros te dice que lo han intimidado, ¿qué harías, Joshua?». Sin pensarlo, solté una respuesta, como si me hubieran hecho esa misma pregunta cientos de veces: «Llevaría a mi amigo a la iglesia y dejaría que Dios lo guiara. Incluso haría lo mismo con los abusones. Dios tiene un plan para cada uno de nosotros». El funcionario sonrió y le imité.

Al poco, recibí una carta en la que se me informaba de que me habían admitido en el United Christian College (UCC) porque alguien había renunciado a su plaza. Ese centro era mi primera elección.

2

El Gran Salto Adelante:
Escolarismo y Educación Nacional

大躍進：學民思潮與國民教育

*E*l colegio de secundaria fue alentador. A diferencia de los seis años de primaria, en los que se nos trató como a niños, ahora éramos adultos jóvenes y se nos daba libertad para expresar nuestra opinión en clase y organizar nuestras actividades fuera de ella. Además, el programa ya no se basaba tanto en la repetición y la memorización, sino que se centraba más en el análisis y el pensamiento crítico, por lo que mi dislexia dejó de ser una desventaja.

Me encantaba hacer fotos y vídeos, e iba a todas partes cámara en mano para capturar momentos en el centro escolar, algunos interesantes y otros no tanto. Subía las fotos a mi página de Facebook y las guardaba meticulosamente en álbumes. También comencé un blog sobre las actividades escolares, en el que hacía comentarios graciosos. Empecé a ser muy popular y al cabo de poco tiempo tenía miles de seguidores, muchos de los cuales eran padres deseosos de saber lo que habían estado haciendo sus hijos durante la semana. Aunque solo era un recién llegado en el United Christian College, no tardé en darme a conocer como periodista, cineasta y cronista. Pero para mis amigos era un *dokuo*, la palabra japonesa que describe a un joven sin novia al que le gusta estar solo con sus videojuegos y artilugios.

Con novia o sin ella, me veía a mí mismo como el niño del cuento de Hans Christian Anderson *El traje nuevo del emperador*, que, cuando ninguno de los vecinos se atrevió a decir nada, se encargó de señalar lo evidente; y en el sistema local de educación había demasiadas cosas evidentes. En una ocasión, uno de mis profesores chinos, que había perdido la paciencia porque no dejaba de hablar en clase, me pidió que me callara y me pusiera de pie contra un rincón. Cuando me levanté, lo miré a los ojos y dije: «Así no se enseña a los niños. ¿De verdad cree que seré mejor estudiante si me pongo mirando a la pared?». Mi pregunta lo dejó sin habla y el resto de compañeros se quedaron atónitos.

Mi propensión a cuestionar la autoridad tomó un nuevo rumbo cuando combiné mi franqueza con el poder de las redes sociales.

Siempre me había gustado comer bien y mi paladar era tan crítico como mi lengua. En segundo de secundaria (con trece y catorce años), después de sufrir todo un año la mediocre comida que servían en el comedor del

UCC, decidí ocuparme de ese asunto. Creé una página en Facebook con una petición en línea e invité a todos mis amigos a que expresaran sus quejas sobre los insípidos, aceitosos y caros almuerzos del colegio. La campaña se hizo viral y más del diez por ciento de los alumnos firmaron la petición.

La popularidad de esa campaña sin precedentes llamada «¿Hasta cuándo hemos de soportar la mala comida del UCC?» llamó la atención de los directivos del colegio. A los pocos días, el director me pidió que fuera a su despacho con mis padres. «Joshua es un buen chico —dijo el director To antes de entrecerrar los ojos—, pero lo que ha hecho no ha sido... digamos que ideal. Ha instigado al resto de estudiantes y nos ha colocado en una situación muy difícil. Y lo peor es que ha utilizado el nombre del colegio en una petición pública sin nuestro consentimiento.» «Con todo el respeto, nuestro hijo no ha hecho nada malo», replicó mi padre en mi defensa, antes de que mi madre, siempre conciliadora, ofreciera una valoración sensata, con la que el director To solo pudo estar de acuerdo. «La página de Facebook ya está publicada —dijo mi madre—. Si obliga a Joshua a cerrarla, las repercusiones serán mucho peores. Creo que deberíamos dejar las cosas como están.» Gracias a mis padres, salí indemne del despacho del director y no me expulsaron ni se tomó ninguna medida disciplinaria contra mí.

Pero aquella fue la primera y la última vez que organicé una campaña en las redes sociales en el colegio. Preferí no volver a hacerlo, no por miedo a volver a meterme en problemas, sino porque me di cuenta de que había cosas más importantes que hacer. ¿Por qué preocuparse por cuestiones escolares ínfimas cuando se cometían mayores injusticias todos los días delante de nuestras propias narices? Decidí fijarme unos objetivos más elevados y concentrarme en asuntos más importantes y urgentes.

Unas semanas antes de la campaña contra el comedor tuve una revelación. Fue durante una de las visitas comunitarias habituales que realizábamos los sábados por la tarde. Mi padre es un cristiano devoto y pasa gran parte de su tiempo haciendo voluntariado. Solía acompañarlo cuando iba a ver a ancianos, a familias desfavorecidas y a niños con necesidades especiales.

Ese sábado fuimos a una residencia de la tercera edad en la que habíamos estado hacía un año. Una docena de octogenarios se había sentado formando un gran círculo en la sala de día y nos estaban esperando. Reconocí las paredes desconchadas color pastel y el ajado mobiliario que había visto un año antes. Miré las caras que me observaban; la residencia seguía tan escasa de personal, los entretenimientos tan anticuados y los residentes tan solos y desamparados como cuando los dejamos mi padre y yo la última vez. Muy a mi pesar, se me llenaron los ojos de lágrimas, pero en mi interior estaba más indignado que triste.

«¿Por qué hacemos estas visitas? —le pregunté a mi padre—. ¿De qué sirven si nada cambia nunca?»

«Los alegramos un par de horas, ¿no? —contestó

dándome una palmadita en la espalda—. Tengámoslos en nuestras oraciones. Es lo mejor que nosotros o la Iglesia puede hacer por ellos.»

Por mucho que respete a mi padre, no pude estar más en desacuerdo. Podíamos hacer muchas cosas por esas personas, pero no lo habíamos intentado lo suficiente. No era justo que mi familia pudiera vivir en un barrio de clase media, ir a una moderna megaiglesia y de vacaciones al extranjero cuando casi una quinta parte de la población vivía pasando penalidades por debajo del umbral de la pobreza, apenas le alcanzaba para comer y no tenía una casa decente en la que vivir.

En el colegio nos habían enseñado que Hong Kong cuenta con uno de los coeficientes de Gini —una medida de la desigualdad de ingresos— más elevado del mundo. Por eso veíamos todos los días a ancianos rebuscando en las basuras y empujando pesados carritos con papel reciclado, para venderlo por una miseria; se ha convertido en algo tan habitual que ya ni nos fijamos en ellos. Se permite que exista esa situación porque mucha gente piensa como los feligreses de clase media: «Recemos y finjamos que hemos hecho lo suficiente».

Estaba convencido de que Dios me había traído a este mundo por una razón: no para limitarme a ensalzar su nombre y a estudiar la Biblia, sino para actuar. Mi padre me enseñó una vez la frase: «¿Qué haría Jesús?». No creo que Jesús saliera de esa residencia de ancianos dándose una autocomplaciente palmadita en la espalda. De hacerlo, le llamaría hipócrita, como el niño que grita que el emperador está desnudo.

Después de esa visita, empecé a sentirme inquieto. Me di cuenta de que muy a menudo hay un abismo entre las buenas intenciones y los actos, pero no sabía, en la práctica, qué podía hacer por los ancianos de esa residencia o por cualquier otra persona. Llegué a ese crucial punto de inflexión en mi adolescencia poco después de conocer a mi cómplice en el UCC.

Justin estaba en mi clase y era otro *dokuo* con el que compartía la misma pasión por los videojuegos, el anime y hacer travesuras en la escuela. Durante las vacaciones de verano, después de segundo de primaria, dos de nuestros profesores favoritos anunciaron que se iban a casar. Justin y yo decidimos hacer un *sketch* en su honor. Él hizo de novio y reclutamos a otros compañeros para que representaran a la novia y a sus ilusionados parientes. Yo hice de director de cine que filmaba la boda fingida. Para aumentar el impacto emocional, añadí una banda sonora. Cuando los recién casados vieron el vídeo en YouTube se emocionaron.

Las noticias de ese tipo de actividades se propagaban en el colegio como la pólvora y, a pesar de causar problemas de vez en cuando, nos convirtieron en los preferidos de los profesores. También consiguieron que Justin y yo fortaleciéramos nuestra amistad.

Pero Justin era mucho más que una buena compañía. Era adicto a la política mucho antes de que nos conociéramos. «Esto es lo que importa de verdad», me decía con toda naturalidad mientras iba pasando noticias sobre las elecciones locales y las leyes del Gobierno en su iPhone.

Con el tiempo, me contagió parte de su apasionamiento. Íbamos a las librerías y pasábamos horas en la sección de política. Intercambiábamos libros, con lo que duplicábamos el número de títulos que teníamos a nuestra disposición.

En 2009 tenía doce años y pasé el verano leyendo sobre política local y comentando lo que había aprendido con Justin. «¡Esto es una locura!», recuerdo que grité cuando me enteré del extraño sistema de voto que había en Hong Kong y de la forma en que se utilizaba para que el Gobierno bloqueara a la oposición. «Nuestro Gobierno es un desastre. ¿Por qué no protesta nadie?», exclamé exasperado.

Justin puso los ojos en blanco como si quisiera decir: «Me alegro de que finalmente lo hayas entendido. Bienvenido a Hong Kong».

Nuestro sistema político es único en su especie. Es el resultado de las numerosas y dolorosas concesiones —algunas crueles— hechas por el Reino Unido durante las negociaciones de la transferencia de soberanía con China que se reflejaron en la Ley Básica.

La Ley Básica establece tres ramas en el gobierno: la ejecutiva, la legislativa y la judicial. Con este sistema, los ciudadanos no tienen voz a la hora de elegir al jefe ejecutivo, el cargo más importante en Hong Kong, que es a su vez presidente del Consejo Ejecutivo, un puesto similar al del alcalde de Londres o de Nueva York. Lo elige o la elige un reducido comité atestado de personas leales al Partido Comunista, magnates financieros y grupos de interés especial, la mayoría de los cuales reciben consejos del Gobierno central de Pekín antes de emitir su voto. Con ello solo se consigue un jefe de Gobierno que no rinde cuentas ante los ciudadanos, solo ante los jefes del norte que lo han colocado en ese cargo.

La rama legislativa no es mucho mejor que la ejecutiva. El Consejo Ejecutivo o LegCo es un parlamento con setenta miembros, dividido en dos cámaras de treinta y cinco: las circunscripciones geográficas (CG) y las circunscripciones funcionales (CF, elegidas en el mundo de los negocios y los sectores profesionales). Mientras que las CG las eligen tres millones y medio de votantes censados, las CF están lejos de ser elegidas democráticamente. Casi todos los diputados son seleccionados por un pequeño círculo de votantes relacionados con una actividad en concreto o grupos de interés especial. Por ejemplo, el escaño de la circunscripción inmobiliaria lo deciden cientos de profesionales del sector y empresas de construcción, y el jurídico y el de contabilidad solo los eligen abogados y economistas. Juntos, constituyen un poderoso bloque de diputados con disciplina de voto, según las peticiones del Gobierno. En otras palabras, las FC confieren a la rama ejecutiva el control casi absoluto del LegCo.

Todo eso lo aprendí en mis lecturas veraniegas y con Justin durante muchas conversaciones nocturnas con videojuegos y té de burbujas. Me sentí enfadado y frustrado porque se hubiera permitido que ese sistema, descaradamente injusto, hubiera pasado inadvertido durante tanto tiempo. También me di cuenta de que todo lo que está mal en Hong Kong —desde la pobreza en la vejez a los precios prohibitivos de la vivienda y la destrucción sin sentido de edificios históricos para dejar espacio y llevar a cabo proyectos clientelistas de reurbanización— solo podía atribuirse a un único culpable: nuestro irresponsable Gobierno y el sistema electoral desequilibrado que lo crea y lo favorece.

Mi despertar político no tardó mucho en entrar en acción. En invierno, en enero de 2010, un grupo de diputados prodemócratas renunció a su cargo y se organizaron unas elecciones parciales para cubrir los escaños vacantes. La idea era convertir esas elecciones en un referéndum sobre la reforma electoral y presionar al Gobierno para que aboliera las odiadas circunscripciones funcionales.

Antes de las elecciones escribí una larga entrada en Facebook dirigida a los estudiantes y a sus padres, en especial a estos últimos, ya que tenían la edad requerida para votar. Pasé horas redactando resúmenes y puntos que tratar, e intentando condensar en lenguaje sencillo el enrevesado proceso político para que los lectores entendieran de qué trataba el referéndum. Argumenté por qué los hongkoneses necesitaban trabajar unidos para librarse de las CF para siempre. La entrada recibió más de mil *likes*, algo que me sorprendió, porque nadie sabía quién era yo y el tema no era nada atractivo.

Al final el Gobierno no prestó atención a los resultados de las elecciones parciales y aprobó una decepcionante ley de reforma electoral, con ligeros retoques del sistema existente. Distó mucho de abolir las CF. Con todo, fue una buena lección de activismo político para un joven de trece años: puedes esforzarte todo lo que quieras, pero hasta que no les obligues a que te presten atención, los que están en el poder no van a escucharte.

La verdadera prueba de fuego llegó una vez celebrado mi decimocuarto cumpleaños. En octubre de 2010, el entonces jefe ejecutivo Donald Tsang pronunció su último discurso político antes de acabar su segundo mandato. Según sus palabras, el Gobierno aprobaría un nuevo plan de estudios que incluiría una asignatura nueva y obligatoria llamada «Educación Moral y Nacional». Esa nueva materia tenía varios objetivos:

1. El desarrollo de las cualidades morales.
2. El desarrollo de una actitud positiva y optimista.
3. El autorreconocimiento.
4. La emisión de juicios de forma cuidadosa y razonable.
5. El reconocimiento de la identidad.

Por anodinos que puedan parecer estos puntos, en el fondo de ese capricho había un objetivo más siniestro: dar forma a la primera generación de hongkoneses con el molde chino y enseñarnos a aceptar y adoptar los principios del Partido Comunista, sin que nos diéramos cuenta ni nosotros ni nuestros padres. En Hong Kong todo lo que contenga la palabra «nacional» despierta sospechas. El nombre de «Educación Nacional» despierta el fantasma de la propaganda comunista y el lavado de cerebro que habían soportado —y siguen sufriendo— los estudiantes de China continental durante décadas. Si no se hacía nada, ese nuevo plan de estudios se implementaría en todas las escuelas de primaria de Hong Kong en 2012 y en las de secundaria en 2013. En 2011 se suponía que comenzaría una consulta pública que duraría cuatro meses, pero sabía que en realidad esa «consulta» no produciría ningún cambio en el plan de estudios.

La Educación Nacional me afectaba de lleno. Era la primera política gubernamental dirigida deliberadamente y con impacto directo en mis compañeros y en mí. Era uno de los principales interesados, un término que acababa de aprender en la clase de Estudios Liberales del UCC. Y si las personas que más tenían que perder no hacían nada, ¿quién iba a hacerlo?

Por supuesto, durante los cuatro meses de consulta, los abogados prodemócratas e incluso el sindicato de profesores solo mostraron un leve enfado y expresaron su rechazo verbal a la Consejería de Educación. «Estos adultos dejaron las aulas hace dos o tres décadas —le dije a Justin—. ¿Cómo va a importarles lo que suceda en las aulas? Necesitamos cuidar y proteger nuestro sistema educativo antes de que sea demasiado tarde.»

Los padres de Justin tenían un plan diferente para él. Preocupados por su futuro, querían enviarlo al extranjero para que acabara sus estudios. Se iría al año siguiente y me separaría de mi mejor amigo y de mi musa política.

Justin y yo seguimos viéndonos hasta que se fue a Estados Unidos, pero en mi interior sabía que, si quería luchar contra la Fuerza Oscura, tendría que reclutar a nuevos Jedis.

Decidí unirme a Ivan Lam, que estaba en cuarto de secundaria (con quince y dieciséis años) en el UCC. Me había hecho amigo de varios estudiantes con ideas afines a las mías en algunas concentraciones callejeras y había intercambiado datos de contacto; Ivan era uno de ellos. Al igual que Justin, Ivan había sido activo en política desde muy joven. A sus dieciséis años ya era famoso por su talento artístico y había ganado muchos concursos de diseño en el UCC y en otras instituciones. Empecé a ir con él a protestas y manifestaciones antigubernamentales, como la del 1 de julio, que conmemoró la transferencia de soberanía, y a la vigilia con velas del 4 de junio por la masacre de la plaza de Tiananmén, los dos acontecimientos más importantes en el calendario de la sociedad civil de Hong Kong, en los que participan miles de ciudadanos. Entonces no acudían muchos estudiantes a las concentraciones políticas, por lo que nos resultaba fácil encontrarnos, sobre todo si llevábamos el uniforme del colegio. El círculo de amigos que forjamos en aquellas manifestaciones se convertiría en el núcleo de nuestra campaña contra la Educación Nacional y proporcionó la masa crítica de sus primeras actividades.

En mayo de 2011, Ivan y yo creamos una página en Facebook y bautizamos nuestro grupo como Escolarismo: «escolar», porque éramos estudiantes, e «ismo», para mostrar una nueva forma de pensar (y para darle más seriedad al nombre).

Durante los siguientes meses hicimos pancartas, imprimimos folletos, instalamos puestos en la calle, protagonizamos sentadas a pequeña escala y animamos a más estudiantes a que nos imitaran. Ivan se ocupaba del material gráfico de todas nuestras campañas; las grafías enérgicas y los audios contundentes eran cruciales para hacer correr la voz en Internet. En mayo de 2012, primer aniversario de Escolarismo, nuestros seguidores habían pasado de ser un grupo muy unido de amigos a sumar más de diez mil personas. Entre nuestros miembros estaba Agnes Chow, que tenía mi edad. Elocuente, tenaz y con gran facilidad para los idiomas, se convertiría en uno de los miembros clave de Escolarismo y en su única portavoz femenina.

Fundar Escolarismo fue la consecuencia lógica de lo que había estado haciendo el año anterior. Volvía a ser como la campaña en el comedor, pero en esa ocasión implicó a muchos más interesados y se dirigió a toda una generación de jóvenes. De hecho, la idea de organizar un grupo de jóvenes activistas me pareció tan natural que ni siquiera la comenté con mis padres antes de ponerla en marcha.

Los meses siguientes a la creación de Escolarismo estuve casi todos los días pronunciando discursos improvisados en la calle y atendiendo ruedas de prensa. Cuando una de las entrevistas espontáneas se hizo viral y se vio ciento cincuenta mil veces en dos semanas, me convertí en una figura habitual en los medios de comunicación locales. Mi madre empezó a guardar recortes de los periódicos en los que aparecía y a grabar los programas de radio en los que hablaba. «Es parte de nuestra historia —decía—. Estás haciendo historia.»

Pero no todo fue glamur y fama. Durante dieciocho meses llevé la vida de Peter Parker. Al igual que el *alter ego* de Spiderman, fui a clase durante el día y corrí a luchar contra el mal después del colegio. Subía al autobús que iba a la sede del Gobierno en Admiralty —nuestro equivalente al palacio de Westminster o a Capitol Hill— para reunirme con líderes de la sociedad civil y diputados prodemócratas, y hablar sobre lo que se podía hacer para frenar la implantación de la Educación Nacional. Mientras mis coetáneos cantaban en karaokes o iban al cine, yo me dedicaba a planear las siguientes acciones de Escolarismo y a coordinar protestas masivas con personas mucho mayores que yo. Gracias a una donación de fondos, alquilamos una diminuta oficina en una nave industrial e instalamos nuestro cuartel general para las campañas. Dejé de hacer trabajos importantes para el colegio e incluso falté a exámenes y, tras un semestre desastroso, pasé a ser el último de la clase. Por suerte, el UCC apoyó mis esfuerzos y me concedió un aprobado. Un día, el profesor de matemáticas me dijo: «Tengo una hija adolescente de tu edad. Me gustaría darte las gracias por lo que estás haciendo por ella».

En julio de 2012, se intensificó nuestra campaña contra la Educación Nacional. Chun-ying (o C. Y.) Leung, un millonario del que se rumoreaba que era un miembro clandestino del Partido Comunista de China, asumió el cargo de jefe ejecutivo y sucedió a Donald Tsang. Al poco de prestar juramento, se distribuyó un manual de enseñanza, publicado por un grupo de expertos subvencionado por el Gobierno, en todas las escuelas de primaria y secundaria de la ciudad. El manual alababa al Partido Comunista de China por ser un «régimen avanzado y desinteresado» y criticaba la democracia occidental argumentando que la «tóxica política bipartidista» de Estados Unidos había conducido al «sufrimiento de su pueblo». Confirmó todas nuestras sospechas y miedos sobre la propaganda comunista.

Aquella publicación explosiva inflamó la sociedad civil. A los pocos días se formó una nueva alianza de doce organizaciones, incluidas Escolarismo, la Federación de Estudiantes de Hong Kong (HKFS) y el Frente Civil de Derechos Humanos (CHRF), el grupo de defensa de la libertad civil más importante de la ciudad. El 29 de julio, dirigí la alianza en una masiva concentración que atrajo a casi cien mil participantes, muchos de ellos padres y estudiantes.

El Gobierno de Leung, a pesar de la nutrida participación y tal como esperaba, se mostró intransigente. Aunque Leung afirmó que estaba abierto al diálogo con los grupos interesados, reiteró que la asignatura se implantaría, tal como estaba planeado. Aquella noche, Ivan, desconsolado y enfurecido, subió al escenario en Admiralty. Contuvo las lágrimas y dijo: «No necesitamos dialogar. No hemos llegado tan lejos para hacer tratos con los políticos». A las pocas horas de pronunciar esas palabras, otros setecientos estudiantes se unieron a Escolarismo.

A mediados de agosto, más de quince meses después del comienzo de nuestra campaña, la intensa sensación de urgencia era patente en el seno de Escolarismo. El nuevo curso escolar comenzaba en un mes, al igual que la nueva asignatura, si no la frenábamos a tiempo. «Las protestas por sí solas no son suficiente —le dije a Ivan—. Tenemos que ponernos en marcha.»

Durante las semanas siguientes, los miembros de Escolarismo se desplegaron por la ciudad, intensificaron las protestas en las puertas de los colegios y llevaron a cabo una campaña de recogida de firmas en la calle. En una semana habíamos conseguido ciento veinte mil, en su mayoría de estudiantes preocupados. Simpatizantes de todas las edades vinieron a los puestos callejeros a ofrecernos *pizza*, *sushi*, repostería y bebidas para que aguantáramos.

A pocos días del comienzo de curso, Ivan y yo sabíamos que habíamos llegado a un momento de «ahora o nunca». El 31 de agosto, pedimos a los estudiantes que fueran a Admiralty y ocuparan el jardín delantero de la sede del Gobierno. Bautizamos aquel espacio abierto con un nombre nuevo, simbólico y pegadizo: Plaza Cívica.

Ese mismo día, Ivan y otros dos miembros de Escolarismo empezaron una huelga de hambre: la segunda de estudiantes de secundaria en la historia de la ciudad. La intención era granjearnos la simpatía pública y atraer más cobertura periodística para nuestra campaña. Quise hacer huelga de hambre también, pero Ivan me convenció de que debía guardar las fuerzas para lo que sabía hacer mejor: hablar con los medios de comunicación.

El 3 de septiembre, setenta y dos horas después de que esta comenzara, nuestro equipo médico ordenó que los tres pusieran fin a la huelga, pues sus niveles de azúcar en sangre eran peligrosamente bajos. Ivan tenía los labios blancos como el papel, estaba aturdido y apenas podía mantenerse sentado. Aun así, ningún funcionario del Gobierno se dignó visitarlo. En una maniobra de relaciones públicas, C. Y. Leung apareció en la Plaza Cívica para estrechar la mano de los manifestantes, sin siquiera ir a ver a los estudiantes en huelga de hambre.

A finales de semana, la campaña contra la Educación Nacional se puso al rojo vivo. El viernes, 7 de septiembre, pedimos a los padres y a sus hijos que se unieran a nosotros en una protesta masiva frente a la sede del Gobierno, vestidos de negro, el color del luto. Gracias a la huelga de hambre y al bombardeo mediático, más de ciento veinte mil ciudadanos vestidos de negro acudieron a Admiralty al salir del trabajo y del colegio para solidarizarse con los manifestantes de Escolarismo. Fue la mayor concentración sin aprobación de la policía y contó con la mayor asistencia en un acto organizado por estudiantes de secundaria en toda la historia de Hong Kong. La multitud era tan desproporcionada que los manifestantes tuvieron que ocupar Harcourt Road, una importante autopista que atraviesa la ciudad.

Aquella noche pronuncié el mejor discurso que he dado en mi vida. Todo lo que había aprendido de mis padres, de los ancianos de la iglesia, de mis profesores y de Justin culminó en ese momento único. Aunque estaba cansado por haber pasado semanas durmiendo en una tienda de campaña y respondiendo a entrevistas, no quería defraudar a las personas que creían en mí y contaban conmigo. Tenía que darlo todo.

«Este es el noveno día de nuestra sentada en la Plaza Cívica —dije con voz ronca en cuanto me pasaron el micrófono. Pensé que era mi arma preferida, como el martillo de Tor o el escudo de vibranium del Capitán América. Al fin y al cabo, solo tenía quince años—. Hemos hecho historia y hemos demostrado a Hong Kong y a Pekín el poder del pueblo. Esta noche tenemos un mensaje, un único mensaje: ¡C. Y. Leung, retira la asignatura lavacerebros!»

La multitud vitoreó y pasé de gritar a bramar: «¡Estamos hartos de este gobierno! ¡Los hongkoneses vencerán!».

Al día siguiente C. Y. Leung ofreció una rueda de prensa en la que anunció su decisión de retirar la asignatura. Vimos el anuncio en la sala de conferencias del sindicato de profesores, que había sido como una segunda casa para Escolarismo en los últimos dieciocho meses. Frente a la parpadeante pantalla, los padres gritaron, los estudiantes vitorearon y los activistas se fundieron en un fuerte abrazo.

Me volví hacia Ivan y dije: «¡Hemos ganado!».

3

¿Dónde están los adultos?
La Revolución de los Paraguas

成年人在哪裡？雨傘運動

*L*a campaña contra la Educación Nacional nos lanzó al estrellato político. Los miembros de Escolarismo habían pasado de ser un grupo de jóvenes rebeldes antigobierno a ser personajes famosos y, ahora, personas que han hecho historia. Nunca antes un grupo de estudiantes de secundaria había dirigido un movimiento político de semejante escala y con tanto éxito. En el UCC los profesores nos estrechaban la mano a Ivan y a mí. Todo el mundo me felicitaba en la iglesia. No creía merecer esos elogios y esa atención, porque sabía que no lo había hecho solo, nadie podría hacerlo. A cada «¡Buen trabajo!» y «¡Bien hecho!», respondía: «La victoria ha sido de todos. Me he limitado a decir la verdad».

Pero también entendía la euforia y la emoción que flotaba a mi alrededor. Las victorias políticas, igual que la misteriosa flor reina de la noche, que solo florece en contadas ocasiones, son extrañas para los hongkoneses. La última vez que una protesta masiva había tenido resultados tangibles se había llevado a cabo hacía una década, en 2003, cuando debido al desastroso liderazgo del primer jefe ejecutivo de la ciudad, Tung Chee-hwa, el Gobierno se vio forzado a abolir la controvertida Ley de Seguridad Nacional después de que medio millón de ciudadanos saliera a la calle para exigir su retirada. Esa reñida victoria nos levantó el ánimo y reforzó nuestra identidad colectiva.

La supresión de la Educación Nacional tuvo el mismo efecto en la ciudad nueve años después. Fue un balón de oxígeno para los ciudadanos amantes de la libertad y les recordó que no tenían que darse la vuelta y fingir ante la mala política gubernamental. Los cambios reales podían suceder si trabajábamos unidos.

Pero, por eufóricos que nos sintiéramos, sabíamos que no podíamos dormirnos en los laureles. Hong Kong seguía siendo una ciudad de libertad sin democracia: los ciudadanos podían gritar· y patalear, pero seguían sin poder elegir su gobierno. Mientras nuestro sistema político fuera el mismo, era cuestión de tiempo que se presentara otra iniciativa gubernamental peligrosa. Y, en la siguiente ocasión, quizá no podríamos mantenernos firmes. Teníamos que concentrarnos en conseguir el sufragio universal en Hong Kong. Cada vez que alguien me felicitaba por nuestra victoria en la lucha por evitar la Educación Nacional, contestaba lo mismo: «Hemos ganado una batalla, pero la guerra no ha acabado». No estaba siendo humilde, era la pura verdad.

Los hongkoneses son pragmáticos. Pocos de ellos se interesan por menudencias políticas como una reforma electoral, que puede conseguirse o no, y de la que solo se beneficiarán a largo plazo. A menudo se dice que en la ciudad hay dos tipos de personas: aquellas a las que no les interesa la política y aquellas a las que les interesa, aunque prefieren no hacer nada al respecto. Pero los jóvenes tomarán el relevo en lo que los adultos han fallado. Si la campaña contra la Educación Nacional nos enseñó algo, fue que los estudiantes tienen mucho que decir en las cuestiones de los adultos. La política ya no es dominio exclusivo de políticos canosos y burócratas vitalicios.

Si en 2012 hubiera preguntado en la calle qué es el sufragio universal, pocas personas me habrían dado una respuesta clara. Y muchos menos me habrían dicho que Pekín había prometido a la ciudad el derecho a elegir su propio jefe ejecutivo y todo el LegCo en pocos años. Existe una promesa política prácticamente olvidada y desconocida para la mayoría de los hongkoneses, una cuestión por la que se produciría una revuelta popular a gran escala.

Para entender cómo se hizo esa promesa política, tenemos que remontarnos a los primeros años en que Hong Kong pasó a ser una región administrativa especial de la República Popular de China.

La primera década después de la transferencia de soberanía fue catastrófica. Aunque la transición en 1997 al dominio chino no planteó problemas, la recién creada región administrativa especial empezó a resquebrajarse bajo el peso de la crisis de la deuda regional, una epidemia mortal y un gobierno incompetente.

Cuando una crisis financiera devastadora afectó a Oriente y el Sudeste Asiático en 1997, yo todavía era un niño. La región tardó años en recuperarse y Hong Kong apenas había levantado cabeza cuando el brote de SARS (síndrome respiratorio agudo grave) de 2002-2003 mató a casi trescientas personas y diezmó la economía local. Recuerdo que, ese verano, mis padres me llevaron a un restaurante a comer *dim sum* y nos dimos cuenta de que el local, normalmente abarrotado, estaba totalmente vacío. Fue como estar en una película apocalíptica de ciencia ficción.

Y la situación empeoró. La desacertada política de vivienda de Tung Chee-hwa condujo al estallido de la burbuja inmobiliaria y a la ejecución hipotecaria de miles de hogares, lo que elevó la tasa de suicidios a una cifra sin precedentes. Después, la controvertida Ley de Seguridad Nacional, obligatoria por la Ley Básica, pero que nunca se había promulgado, propuso largas penas carcelarias para los delitos de sedición, secesión y traición, y confirió al gobierno un mayor derecho para arrestar a ciudadanos y prohibir organizaciones políticas consideradas como amenaza a la seguridad nacional. Fue la gota que colmó el vaso: quinientos mil enfurecidos ciudadanos recorrieron Hennessy Road en la mayor concentración del 1 de julio nunca vista para exigir responsabilidades al Gobierno y una reforma política.

En aquel momento era demasiado joven para unirme a la manifestación, pero mis padres sí que lo hicieron. Pregunté a mi madre por qué había ido y contestó: «Si se aprueba esa ley, el Gobierno podrá registrar las casas en cualquier momento e incluso apoderarse de propiedades personales. ¿Quieres que te quiten todos tus videojuegos?».

En los años siguientes, los llamamientos para democratizar el territorio subieron de tono en cada aniversario de la transferencia de soberanía, un recordatorio anual del lento declive de la ciudad desde que volvió a estar dominada por China. Los altos dirigentes de Pekín tenían que mitigar la rabia pública en Hong Kong antes de perder el control de la ciudad. En 2007, el órgano legislativo central de China —el Comité Permanente de la Asamblea Popular Nacional— encontró una solución rápida. Prometió al pueblo de Hong Kong que en 2017 tendría derecho a elegir libremente al jefe ejecutivo y en 2020 a todos los miembros del LegCo. Eso significaba que los hongkoneses podrían elegir a sus líderes y a sus representantes democráticos por primera vez en la historia.

Si se mantenía, esa promesa sería el primer gran paso hacia la democratización de Hong Kong. Aunque la Ley Básica garantiza el sufragio universal como objetivo final, no se pronuncia sobre cuándo y cómo se alcanzará esa meta. La promesa de 2007 al menos contestó a la pregunta de «cuándo».

Sin embargo, la pregunta de «cómo» siguió inquietando a muchos integrantes del bando prodemocrático. Con todo, los hongkoneses pueden tener muy poca memoria e incluso menor capacidad de atención. Cuando se presentó el problema de la Educación Nacional en 2012, la mayoría de los ciudadanos había olvidado la promesa de la Asamblea Popular Nacional. Incluso el síndrome respiratorio agudo grave era agua pasada.

La primera persona que se dio cuenta de la necesidad y la urgencia de concretar los detalles de la reforma electoral fue el profesor Benny Tai, un respetado experto en derecho político. Me lo presentaron en 2012, durante la campaña contra la Educación Nacional, cuando vino a nuestras protestas para demostrar su apoyo como académico. Entonces no llegamos a conocernos bien, pero tuve el presentimiento de que nuestros caminos volverían a cruzarse.

A finales de 2013, cuatro años antes de la fecha en que debía cumplirse el primer punto de la promesa de 2007, el Gobierno de Hong Kong anunció que se celebraría la primera ronda de consultas públicas para debatir la mecánica de la elección de jefe ejecutivo en las elecciones de 2017.[1] La primavera siguiente, el profesor Tai, el profesor de Sociología Chan Kin-man y el reverendo baptista Chu Yiu-ming amenazaron con organizar una campaña de desobediencia civil si el Gobierno se negaba a escuchar al pueblo. La llamaron «Ocupa el centro con amor y paz».

---

1. El 26 de marzo de 2017, con el actual y restringido sistema electoral, resultó elegida jefa ejecutiva Carrie Lam, el candidato preferido por Pekín.

El llamado «trío Ocupa el centro» propuso una sentada masiva en el distrito financiero del centro de la ciudad si Pekín no cumplía su promesa o saboteaba la elección de jefe ejecutivo preseleccionando candidatos o introduciendo criterios de selección poco razonables. Esa campaña no violenta paralizaría las actividades comerciales, la parte vital del ADN de Hong Kong. Para hacer creíble su amenaza, el trío Ocupa el centro incluso eligió lugar y fecha: Charter Garden, 1 de octubre. Asistencia esperada: tres mil personas.

Observé con interés, junto a mis compañeros de Escolarismo, cómo se desarrollaban los acontecimientos. Si el sufragio universal era la respuesta a todos los problemas de la sociedad, los estudiantes querían ser parte de esa solución. El profesor Tai y yo aparecimos juntos en varias entrevistas de alto nivel en los medios de comunicación para hablar de cómo podría llevarse a cabo la lucha por el sufragio universal en los siguientes meses.

En junio, el trío Ocupa el centro organizó un referéndum extraoficial de ocho días en la ciudad, en el que se planteaban a la ciudadanía tres métodos alternativos para llevar a cabo la elección de jefe ejecutivo en 2017. Escolarismo y la Federación de Estudiantes de Hong Kong propusieron conjuntamente la opción más progresista de las tres, con intención de que nos acercara más al prometido sufragio universal. Fue la única opción que insistió en una estipulación llamada «nominación civil», que permitiría a los ciudadanos proponer candidatos, como forma de eludir cualquier selección previa impuesta por Pekín. Cuando comenzó la consulta pública en 2013, había sido el único en proponer la nominación civil y he sido su más firme defensor desde entonces. En total, participaron ochocientos mil ciudadanos en la votación —uno de cada nueve hongkoneses—, que depositaron su voto en urnas colocadas en los campus universitarios o a través de aplicaciones móviles.

Pero, a pesar de que la sociedad podía hablar de la nominación civil y del resto de estipulaciones avanzadas que todos queríamos, a la larga era Pekín la que tomaba las decisiones. El 31 de agosto, el Comité Permanente de la Asamblea Popular Nacional hizo público su borrador definitivo para las elecciones. Limitaba el número de candidatos al puesto de jefe ejecutivo a «dos o tres» y requería que cada candidato fuera elegido por un comité nominativo de 1200 integrantes, una fórmula muy similar a la utilizada en el pasado para elegir al jefe ejecutivo. Pekín había encontrado la forma de proponer lo que parecía un sufragio universal, sin concedérnoslo en absoluto.

Algunos miembros de Escolarismo y yo vimos con incredulidad e indignación el anuncio de la propuesta del 31 de agosto en nuestra oficina alquilada. «Por eso me dijeron mis padres que no confiara nunca en los comunistas», le comenté a Agnes Chow. Sentí como si me hubieran pateado el estómago 1200 veces.

Horas después del anuncio, el profesor Tai apareció con ojos llorosos en una rueda de prensa organizada a toda prisa. «Hoy es el día más triste en la evolución democrática de Hong Kong —dijo—. El diálogo con Pekín ha llegado a su fin.» Aseguró a sus seguidores que no tenía otra alternativa que seguir adelante con la campaña Ocupa el centro el 1 de octubre.

Si el profesor Tai estaba desconsolado, yo estaba verdaderamente furioso. El pueblo de Hong Kong había esperado siete años para nada. La versión de Pekín de la reforma electoral era tanto una retractación de su promesa como un insulto a nuestra inteligencia. La propuesta del 31 de agosto parecía una burla a los hongkoneses: qué lamentable, qué triste.

¿Y qué podía hacerse al respecto?

Sabía que no era el único que quería hacer algo. Fortalecidos y envalentonados por la campaña contra la Educación Nacional de hacía dos años, los estudiantes fueron los primeros en mostrar su indignación contra la bomba de la Asamblea Popular Nacional. Mientras el trío Ocupa el centro organizaba ensayos y talleres para preparar el acto del 1 de octubre, los grupos de estudiantes como Escolarismo decidimos que debíamos tomar cartas en el asunto. En vez de esperar a que actuaran los adultos, lanzamos la primera andanada y desencadenamos una serie de acontecimientos que cambiarían el curso de nuestra historia.

Dos semanas después del anuncio de la Asamblea Popular Nacional, el 13 de septiembre, Escolarismo convocó una manifestación masiva en Admiralty, frente a la sede del Gobierno. Pedimos a los participantes que llevaran lazos amarillos como muestra de solidaridad con nuestra causa.

La semana siguiente, la Federación de Estudiantes de Hong Kong, encabezada por Alex Chow, Lester Shum y Nathan Law, anunció un boicot de cinco días a las clases de las ocho universidades de Hong Kong y organizó asambleas masivas de estudiantes en varios campus. Posteriormente, para reforzar el número de asistentes, la federación de estudiantes trasladó sus manifestaciones en los campus a Admiralty para unirse a nosotros. De la misma forma, Escolarismo amplió el boicot de la federación de estudiantes a todos los centros de enseñanza media de la ciudad. A finales de septiembre, nuestra campaña conjunta había estado organizando sentadas diarias en Admiralty en las que se sobrepasaban los diez mil asistentes.

El viernes, 26 de septiembre, se llegó a un punto crítico. Esa tarde, en una reunión entre Escolarismo y la federación de estudiantes, Nathan mencionó la preocupación que hacía tiempo que teníamos en mente. «El Gobierno se ha acostumbrado a las pancartas y los eslóganes: necesitamos intensificar nuestras acciones.» Estábamos sentados en círculo junto a un improvisado escenario en lo que ya se conocía como la Plaza Cívica, el mismo lugar en el que dos años antes había pronunciado el discurso de mi vida.

Con el pretexto de la seguridad ciudadana, la policía había cerrado la Plaza Cívica con una valla de más de tres metros y la había convertido en una fortaleza. Tenía la vista fija en la valla que rodeaba la plaza cuando se me ocurrió una idea. «Esta noche recuperaremos la Plaza Cívica», dije.

A la puesta de sol, casi diez mil ciudadanos se habían concentrado frente a la sede del Gobierno, tal como habían hecho cada noche durante dos semanas. Los estudiantes activistas se turnaron a la hora de subir al escenario para reclamar el sufragio universal. A las diez y media Nathan me pasó el micrófono y pedí a la multitud que ocupara la Plaza Cívica. Cientos de manifestantes se hicieron eco de mi llamada, corrieron hacia la valla y empezaron a escalarla para acceder a la plaza. A los pocos minutos, llegaron los cuerpos de seguridad y dispararon gas pimienta. Cuando estaba subiendo la valla, apareció la policía y me detuvo en el acto. Se me cayeron las gafas y perdí una zapatilla de deporte cuando ocho policías me arrastraron de brazos y piernas entre la multitud para llevarme a un vehículo policial. No podía ver, di patadas y grité, y no sabía dónde estaba. Al día siguiente arrestaron a Alex y a Lester, que pasaron a disposición judicial.

Era la primera vez que me detenían, tenía diecisiete años. Me llevaron a una celda de detención en una comisaría cercana, donde pasé las siguientes cuarenta y seis horas aislado del mundo exterior. La diminuta celda no tenía ventanas ni mobiliario, a excepción de un banco. Sobreviví dos días a base de agua del grifo y una comida repugnante, sin dormir apenas. No podía ver bien sin las gafas y, como solo tenía una zapatilla, tuve que cojear cuando la policía me llevó a otra habitación para interrogarme. Varios oficiales pidieron tomar mi declaración y que se grabara en vídeo el interrogatorio. No sabía qué decir, así que hice como los sospechosos en las películas, no abrí la boca. Uno de los guardias comentó con desdén: «Podrías haberte quedado en el colegio, pero has preferido ser un agitador. ¿Cuánto dinero te han dado los americanos por hacer esto?». Me sentí solo, indefenso y tremendamente culpable, pues no podía imaginar lo preocupados que estarían mis padres al no saber qué le había pasado a su hijo.

El 29 de septiembre por la mañana, me pusieron en libertad bajo fianza. Tras darme una larga ducha en casa, encendí el televisor para ver qué me había perdido. Me enteré de que a las veinticuatro horas de mi arresto el número de manifestantes en Admiralty había aumentado a doscientos mil. Me quedé boquiabierto cuando vi imágenes impactantes de la policía lanzando gas lacrimógeno frente a la sede del Gobierno y a los desarmados manifestantes utilizando paraguas, ponchos para la lluvia, plástico para envolver alimentos y otros utensilios domésticos para defenderse del gas pimienta y el lacrimógeno. «Este no es el Hong Kong que conozco», pensé meneando la cabeza mientras las mismas imágenes se repetían en bucle en el canal de noticias 24 horas.

Al final, la represión con gas lacrimógeno del 28 de septiembre fue precisamente el revulsivo que necesitaban los adultos para pasar a la acción. Esa misma noche, el profesor Tai subió al escenario y lanzó la propuesta que tenía que haber lanzado semanas antes: «¡Ocupa el centro empieza ahora!». Aquello fue el comienzo de un movimiento de ocupación de setenta y nueve días que la prensa extranjera bautizó como la «Revolución de los Paraguas».

Aquel movimiento no surgió de un vacío social. La promesa rota de la reforma electoral y la posterior represión policial catalizó el malestar, pero no lo había provocado. Hubo décadas de frustración reprimida por la desigualdad en los ingresos, la inmovilidad social y otras injusticias hasta que la indignación pública finalmente se desbordó. Martin Luther King dijo: «El opresor no concede nunca voluntariamente la libertad, debe ser exigida por los oprimidos». La Revolución de los Paraguas era nuestra forma de exigir que se oyeran nuestras reivindicaciones.

La Revolución de los Paraguas no solo había dado notoriedad a Hong Kong, sino que había sacado lo mejor de nosotros. Veíamos ciudadanos de todas las edades y todas las profesiones que ofrecían comida, agua y suministros médicos a los manifestantes. Los oficinistas venían durante la pausa del almuerzo con donativos; los padres y los jubilados se turnaban para gestionar las provisiones; los estudiantes acudían a unas clases cívicas que ninguna aula les habría enseñado. Las multitudes congregadas en las tres zonas principales —Admiralty, Mongkok y Causeway Bay— superaban diez veces las de la campaña contra la Educación Nacional. El símbolo del movimiento, el paraguas amarillo, capturaba tanto la humildad como la humanidad de los manifestantes no violentos.

El 1 de octubre, el día nacional de China, pedí a todo el mundo que trajera tiendas y mantas para preparar una lucha prolongada. Poco después apareció una ciudad de tiendas de campaña en Harcourt Road y los manifestantes empezaron a pasar la noche en el mayor dormitorio al aire libre del mundo. Los puestos de suministros y centros médicos brotaron como setas para apoyar a una comunidad autosuficiente. Me impactó especialmente la biblioteca improvisada con carpas y muebles, en la que filas de estudiantes de secundaria, vestidos con el uniforme, leían y hacían los deberes con supervisión de tutores voluntarios. «¿Te parece impresionante? —me preguntó Agnes—. Pues deberías ver los baños para mujeres. Hay más productos para el cuidado de la piel y cosméticos que en unos grandes almacenes. ¡Y son gratis!» La prensa occidental nos describió como los manifestantes más educados del mundo, pero, para mí, éramos también los más ingeniosos, creativos y disciplinados.

Aun así, desafiar a la China comunista no era una simple travesura. Aunque los cuerpos de seguridad se retiraron tras la amplia condena por la represión con gas lacrimógeno, a los pocos días empezaron a acudir matones a sueldo a las manifestaciones. La situación se puso especialmente tensa en Mongkok, un turbulento barrio obrero al otro lado del Victoria Harbour. Las informaciones sobre altercados físicos e incluso agresiones sexuales empezaron a aparecer en sitios web de noticias y los manifestantes comenzaron a preocuparse por su seguridad personal. «Mi madre acaba de llamarme y me ha suplicado que vuelva a casa —me dijo Agnes—. Las bandas no solo están intentando asustar a los manifestantes, ¡sino también a sus padres!»

Un día me desperté en mi tienda de Tim Mei Avenue —la zona de acampada de Escolarismo y la federación de estudiantes— empapado hasta los huesos. Alguien había entrado en la tienda y había derramado una botella de agua. Descarté la posibilidad de que fuese una broma, ya que nadie estaba de humor para hacerlas.

La intimidación verbal se unió a la violencia real y a las amenazas. Desde el boicot a las clases de septiembre, las acusaciones de que los activistas estudiantiles estaban recibiendo apoyo de gobiernos extranjeros habían estado circulando en los medios de comunicación estatales chinos. Los políticos pro-Pekín de Hong Kong habían aparecido en programas de entrevistas en la televisión y la radio para vilipendiarnos a Alex, a Nathan y a mí, y habían inventado teorías conspirativas sobre nuestra supuesta conexión con la CIA y el M16. Ni siquiera los ciudadanos de a pie eran inmunes a ese llamado «terror blanco». Muchas empresas prohibieron a sus trabajadores visitar las zonas de protesta o mostrar apoyo a los manifestantes en las redes sociales por miedo a agraviar al Gobierno chino.

Conforme fue alargándose la campaña, empezaron a aparecer fisuras en la débil coalición de activistas estudiantiles, el trío Ocupa el centro y los políticos veteranos prodemocracia. El desafío de un movimiento en gran parte sin líder —el trío Ocupa el centro y los activistas estudiantiles como yo éramos las caras del movimiento, pero no sus dirigentes— era que, a menudo, resulta difícil, por no decir imposible, llegar a un consenso entre múltiples interesados. Podían pasar semanas sin que se tomara ninguna decisión o se llevara a cabo alguna acción. Aparte de un debate televisado entre los activistas estudiantiles y altos funcionarios del Gobierno a mediados de octubre, en el que no se llegó a ningún acuerdo, ninguna de las dos partes se había movido un milímetro. Todos los días, los manifestantes rechazaban a la policía en los frentes de batalla por una parte y por otra hacían los deberes y se alimentaban. Los escenarios de las protestas se convirtieron en una burbuja que aislaba a los acampados del mundo exterior. Cuando llegó el frío del otoño, la campaña continuó alejándose más y más de su objetivo de conseguir la reforma electoral.

Descontentos con la falta de progreso, empezaron a unirse algunos grupos disidentes que se llamaban a sí mismos «localistas». Les molestaba especialmente el ambiente cumbayá de Admiralty y veían nuestra coalición con mucho más desdén que el gobierno. Los manifestantes moderados frustraron sus intentos de irrumpir en edificios gubernamentales, lo que solo sirvió para agudizar la discordia. Justo cuando el movimiento había polarizado la sociedad entre los llamados «lazos amarillos» (preocupación) y los «lazos azules» (propolicía y gobierno), el propio movimiento se había dividido entre moderados y radicales. Algo que solo benefició a C. Y. Leung y a sus jefes de Pekín, que habían esperado que la guerra de desgaste condujera a la división y las luchas internas, que, a su vez, debilitarían y, finalmente, destruirían el movimiento.

Y eso fue exactamente lo que sucedió. A finales de

noviembre, dos meses después del primer lanzamiento de gas lacrimógeno, los grupos empresariales pro-Pekín obtuvieron órdenes judiciales para desalojar las zonas de protesta, basándose en que los acampados alteraban su actividad económica. Alguaciles y grupos de limpieza empezaron a desmantelar las barricadas y las tiendas, a menudo ayudados por la policía e incluso por matones a sueldo. A su vez, los manifestantes tampoco presentaron batalla, en parte porque no querían desafiar a la policía y a los tribunales, y en parte porque sabían que la campaña tenía que llegar a su fin de una forma u otra.

A pesar de todo, algunos de nosotros nos negamos a rendirnos. El 25 de noviembre, Lester Shum y yo nos encontramos entre los activistas arrestados en Mongkok, por violar la orden judicial de alejarnos de la zona de protesta. Mientras se nos llevaba la policía, grité: «¿Por qué estáis haciendo esto? ¡Luchamos por vosotros y vuestros hijos!». Era mi segundo arresto. Después de pasar treinta horas en una celda, me llevaron ante un juez y se me acusó de desacato.

Durante los siguientes días, las zonas de protesta empezaron a caer una tras otra ante el avance de excavadoras y camiones de la basura. El 15 de diciembre, los alguaciles limpiaron la última zona de acampada en Causeway Bay y pusieron fin a la ocupación de las calles liderada por los estudiantes durante setenta y nueve días. Aunque el movimiento no consiguió los resultados políticos que pretendía lograr, el aplastante despertar político y el compromiso cívico que provocó son indiscutibles. Fue un cambio de paradigma que remodeló y continúa remodelando el panorama político de Hong Kong y alteró para siempre la relación entre el Estado y los ciudadanos, el opresor y los oprimidos. Al igual que durante la campaña contra la Educación Nacional, la Revolución de los Paraguas otorgó a los hongkoneses, en especial a mi generación, una nueva confianza para desafiar a la China comunista.

Para mí, la mayor enseñanza del movimiento no tiene nada que ver con la cuestión del éxito o el fracaso. Incluso el crítico más duro reconocerá que fue la primera revuelta popular en Hong Kong y que no teníamos un precedente con el que contar ni un manual que seguir. Hicimos todo lo que pudimos, dadas las circunstancias.

Lo que importaba era lo que haríamos con esa experiencia transformadora. El movimiento podía haber acabado con el desmantelamiento de la última zona de acampada, pero su legado y su espíritu pervivirían. Debía hacerlo, porque nuestra lucha estaba lejos de acabar. Necesitábamos convertir nuestra frustración en resolución y motivación, y reconstruir nuestra confianza y respeto mutuo.

Hacia el final de la campaña Ocupa Wall Street de 2011 en Estados Unidos, el filósofo esloveno Slavoj Žižek se dirigió a la multitud reunida en Zuccotti Park:

> Solo necesitamos paciencia. Lo único que me asusta es que, algún día, nos iremos a casa y, después, nos veremos una vez al año, tomaremos cerveza y recordaremos

con nostalgia lo bien que lo pasamos aquí. Prometeos que no será así. Sabemos que a veces la gente desea algo, pero no lo quiere de verdad. No tengáis miedo a querer lo que deseáis.

Ese espíritu de lucha nos vendría bien ahora.

4

De manifestantes a políticos: fundación de Demosistō

從抗爭者到政治人物：香港眾志的創立

*F*ui el activista estudiantil que organizó la primera serie de protestas masivas que condujeron a la Revolución de los Paraguas y el primero al que arrestaron por actividades relacionadas con ella. Mi papel de adolescente revolucionario despertó el interés de la comunidad internacional y se convirtió en una labor de la que podían aprender los jóvenes activistas de todo el mundo. Si la campaña contra la Educación Nacional me había convertido en una persona conocida en Hong Kong, la Revolución de los Paraguas me transformó en la imagen viva de la resistencia contra la China comunista.

En octubre de 2014, aparecí en la portada de la revista *Time* con el titular «El rostro de la protesta». Ese mismo mes escribí mi primer artículo de opinión en el *New York Times*, titulado «Recuperar el futuro de Hong Kong». Para entonces, medios de comunicación de todos los rincones del mundo habían venido a la zona de protesta de Harcourt Road para entrevistarme. La revista *The Times* me eligió como el joven del año 2014 y fui el décimo en la lista de los cincuenta líderes más importantes de la revista *Fortune*. «Si hubiera sabido que *Time* iba a elegir esa foto, me habría cortado el pelo antes», dije en broma a mis padres.

La verdad es que nunca he buscado la fama ni me embarqué en todo lo que hice para ser famoso. Aunque me sentía honrado y, en ocasiones incómodo, por la abrumadora atención que me prestaban los medios de comunicación, quise aprovecharla y convertirla en capital político para nuestra lucha prodemocracia. En 2015, en la primera reunión de Escolarismo después de la Revolución de los Paraguas, dije en una habitación llena de activistas: «Los sucesos recientes han despertado a muchos hongkoneses y tenemos que transformar cada brizna de esa nueva energía en votos». La Revolución de los Paraguas nos enseñó muchas lecciones importantes; una de ellas fue que luchar en las calles no era suficiente. Necesitábamos cambiar el sistema político desde dentro, y lo haríamos enviando a jóvenes a la Asamblea Legislativa. Teníamos que derrotar al Gobierno con sus propias armas.

Para ello, necesitábamos una nueva plataforma que no solo atrajera a estudiantes —acababa de graduarme en educación secundaria y estaba en mi primer curso de la universidad a distancia—, sino también a votantes adultos motivados por otro tipo de prioridades y preocupaciones.

En abril de 2016, diecisiete meses después de que se evacuara la última zona de protesta, reactivamos Escolarismo como Demosistō, un joven partido político. El nombre está compuesto con la palabra griega que significa «pueblo» y la latina «represento».

Nuestra presentación no fue fácil: la rueda de prensa comenzó varias horas más tarde de lo previsto debido a problemas con los micrófonos, y la retransmisión en directo en YouTube se interrumpió tantas veces que el número de seguidores bajó de unos cientos a menos de veinte. Los grupos localistas que nos habían estado criticando se burlaron de nuestro nombre (dijeron que sonaba como «demolición») y nos acusaron de vendernos para convertirnos en políticos grasientos. Pero, tal como me recordó Nathan después de la complicada rueda de prensa, la democracia es un proceso. Parte de él consiste en vencer a aquellos a los que no gustamos. Recordarlo me hizo sentir mucho mejor.

En cuanto Demosistō cobró vida, nos sumimos en la preparación de la elección del Consejo Legislativo de 2016, para la que solo faltaban cinco meses. En el partido se apoyó masivamente a Nathan Law para que se presentara como candidato, no solo porque era lo bastante mayor para hacerlo (a Agnes y a mí nos faltaba un año para tener la edad mínima requerida, veintiuno), sino también porque posee la mezcla perfecta de temperamento, madurez e imagen pública que estábamos buscando en nuestro candidato.

Acordamos presentarnos con una plataforma de «autodeterminación». Según la Ley Básica, el marco «Un país, dos sistemas» —y la semiautonomía de la ciudad— finalizaría en 2047. Creíamos que en ese momento se debería permitir a los hongkoneses que decidieran su destino en un referéndum, a diferencia de lo que había sucedido durante las conversaciones sobre la transferencia de soberanía, en las que el Reino Unido y China negociaron nuestro futuro sin consultarnos.

La autodeterminación es un concepto establecido en la ley internacional y un derecho humano reconocido en el Pacto Internacional de Derechos Civiles y Políticos de las Naciones Unidas. Pero en Hong Kong era un concepto nuevo y aún más nuevo para el bando pro-Pekín, que a menudo acusó falsamente a Demosistō de abogar por la independencia o una revolución de color.

Las campañas electorales son un trabajo agotador para cualquier partido político, sobre todo para uno con recursos limitados y una imagen poco útil de sindicato estudiantil de la que librarse. A diferencia de los partidos pro-Pekín, bien financiados, Demosistō solo cuenta con la financiación colectiva y las donaciones públicas que se recogen en las concentraciones en la calle. A pesar de la imagen de Nathan de buen chico, los resultados de las encuestas le atribuían entre un uno y un tres por ciento de votos, incluso en el último mes. «¿Por qué tenemos unas cifras tan bajas?», nos preguntábamos cada mañana al ver las noticias.

Aprendimos a la fuerza que la simpatía no siempre se traduce en elegibilidad, sobre todo en el distrito electoral de Nathan en la Isla de Hong Kong, en el que viven mayoritariamente profesionales cultos y miembros de una élite empresarial acaudalada, muchos de los cuales siempre elegirían estabilidad antes que libertad y beneficios antes que principios.

Comparado con sus oponentes, la juventud de Nathan era una desventaja y su papel de líder en la Revolución de los Paraguas, un pecado original que desanimó a la clase media hastiada de manifestaciones. «Hemos invertido hasta el último céntimo en esta campaña. Si perdemos, no tendremos nada», me dijo Nathan cuando solo faltaba un mes para las elecciones.

En una película de superhéroes la situación siempre parece desesperada antes de que el bueno se recupere y evite la catástrofe. En nuestro caso, llegamos a ese punto de inflexión menos de tres semanas antes de que los votantes acudieran a las urnas, cuando incluso los medios de comunicación amigos nos habían dado por perdidos. Tras una serie de apariciones estelares de Nathan en debates televisivos, las cifras de las encuestas empezaron a aumentar. Famosos del «lazo amarillo», como los cantantes de cantopop Anthony Wong y Denise Ho —que ocuparon un lugar destacado en la Revolución de los Paraguas— ofrecieron su apoyo. La campaña de *marketing* fuera de lo normal, en la que se utilizó Instagram Live y vídeos de realidad virtual, gestionada por nuestro principal encargado de medios, Ivan Lam, generó un rumor masivo en las redes sociales. Durante el último mes antes de las elecciones, los miembros de Demosistō estuvimos en la calle hasta pasada la medianoche repartiendo folletos y saludando a los votantes. Fuimos, con diferencia, el partido político que más se esforzó en todo Hong Kong. «Estáis trabajando más que durante la Revolución de los Paraguas y eso es decir mucho», se quejó mi madre al verme llegar tarde a casa y estar continuamente organizando estrategias con los compañeros de Demosistō. A pesar de todo, apretamos los puños y seguimos adelante. El refrán chino de que la diligencia compensa las deficiencias seguía manteniéndome activo.

Poco después de la medianoche del 4 de septiembre, cuando los colegios electorales habían cerrado y los votos se habían contado, se dieron los resultados: Nathan había conseguido más de cincuenta mil y, a sus veintitrés años, se convirtió en el diputado más joven jamás elegido en Asia. Todos los miembros de Demosistō que estaban en el centro de escrutinio se echaron a llorar de alegría, incluso Agnes, que es la más dura de todos nosotros. Cinco meses agotadores, en los que el sueño nos vencía en nuestra desordenada sala de campaña y en los que teníamos que permanecer de pie en la calle bajo un sol de justicia, habían dado resultados. Me limpié las lágrimas, le di un fuerte abrazo a Nathan y le dije: «¡Lo hemos conseguido!».

Nathan, el único diputado estudiante, entró en el LegCo con un cometido claro. Centraría sus esfuerzos en la reforma educativa, el empleo juvenil y la política de la vivienda. Como era un ávido aficionado a los videojuegos y un comentarista semiprofesional de deportes electrónicos, también quería hacer de Hong Kong un centro de competiciones internacionales de videojuegos, aunque en privado confesó que era más bien un proyecto personal y no una prioridad de su programa político.

El escaño de Nathan en el LegCo apenas estaba tibio cuando se produjo una crisis constitucional bautizada como «Caso del juramento», que finalmente le costaría el cargo. En octubre, durante la jura de sus cargos, media docena de diputados nuevos, incluido Nathan, no se atuvieron al juramento e hicieron una declaración política. Cuando juró lealtad a China, Nathan modificó el tono de voz en la última palabra de la frase y transformó la promesa en una pregunta.

Utilizar la ceremonia del juramento como una plataforma de protesta, mostrando todo tipo de atrezo, gritando eslóganes o añadiendo palabras al juramento reglamentario, se había convertido en una tradición en el bando prodemócrata. Pero en esa ocasión, extralimitando sus funciones para librar a la Asamblea Legislativa de recién llegados no deseados, el Gobierno inició acciones legales para expulsar a los seis diputados por sus travesuras.

Pekín siguió el juego de buena gana e hizo una interpretación de la Ley Básica que coincidía con la posición del Gobierno. En una decisión publicada en noviembre, el Comité Permanente de la Asamblea Popular Nacional declaró que, si un diputado no lleva a cabo el juramento de la forma correcta, no puede volver a hacerlo y queda inhabilitado para ocupar un cargo público.

El Caso del juramento se prolongó durante meses, conforme la acción legal emprendida por el Gobierno peregrinaba por el sistema judicial. En julio de 2017, diez meses después de la histórica victoria de Nathan en las elecciones, un tribunal falló en contra de los seis diputados en clara deferencia a la Asamblea Popular Nacional. Por si expulsarlos no hubiera sido suficientemente pernicioso, el Gobierno tuvo la osadía de exigirles que devolvieran su sueldo y los reembolsos por gastos. Ni siquiera mi madre pudo contener su cólera. «Voté a Nathan en septiembre —dijo—. ¿Quién le da derecho al Gobierno a invalidar mi voto? ¿Y qué tipo de patrón obliga a sus empleados a devolver su paga después de despedirlos?»

Nathan tocó fondo. No solo había perdido un escaño duramente ganado, sino que él y yo íbamos a ir a juicio por nuestra participación en la Revolución de los Paraguas. «Me he quedado sin trabajo y, si me obligan a devolver mi sueldo, tendré que declararme en quiebra. Además, dentro de unas semanas, a lo mejor tú y yo ingresamos en la cárcel. ¿Cómo va a sobrellevar todo esto Demosistō?», dijo con ojos llorosos. A pesar de que su llanto parecía inconsolable, intenté animarlo. «Si sobrevivimos a lo peor de la Revolución de los Paraguas, también sobreviviremos a esto.»

Los comentaristas locales siempre han asociado la situación de Hong Kong después de la transferencia con una rana hirviendo. Según la metáfora, si se mete a una rana en agua templada y después se lleva a ebullición lentamente, no notará el cambio gradual de temperatura y se cocerá hasta morir sin darse cuenta. Pekín ha estado usurpando las libertades de Hong Kong sin que nos enterásemos. El Partido Comunista de China ha cooptado a los líderes empresariales locales desde 1997 para que compraran e influyeran en los medios de comunicación escritos, las librerías, las editoriales y las cadenas de radio y televisión. Pekín diseñó la campaña llamada «Frente Unido» para intensificar el control sobre la sociedad hongkonesa al tiempo que imponía su programa político en el cada vez más sitiado territorio semiautónomo.

Pero eso fue entonces y esto es lo que pasa ahora. Desde 2014, los líderes chinos ya no parecen dispuestos a hacer cambios sutiles y progresivos. Por ejemplo, a finales de 2015, cinco miembros de una editorial local, conocida por publicar libros políticos que dejaban al descubierto al Partido Comunista de China, desaparecieron. Se cree que fueron secuestrados y detenidos por agentes chinos.

Los incidentes como el de los secuestros a libreros y el Caso del juramento son síntomas de que Pekín está perdiendo la paciencia y recurre cada vez más a la cruda supresión. Ha subido el fuego y ha puesto la tapa en la cazuela. La rana puede patalear y croar todo lo que quiera, no escapará del agua hirviendo. Así es como se sienten los hongkoneses hoy en día.

Y siguen llegando malas noticias. Dicen que la venganza se sirve fría: después de la Revolución de los Paraguas, el Departamento de Justicia tardó tres años en acusarnos a Nathan, a Alex y a mí de reunión no autorizada por irrumpir en la Plaza Cívica aquella fatídica noche de septiembre de 2014. El 17 de agosto de 2017, dos meses antes de que cumpliera veintiún años, un tribunal nos impuso una condena de seis a ocho meses de cárcel —mi pena más larga, con diferencia— y con ello nos convirtió en los primeros presos de conciencia en la historia de la ciudad.

La prisión por motivos políticos es un paso inevitable en el camino a la democracia: lo fue en Corea del Sur y en Taiwán, y ahora también lo es en Hong Kong. Los tres lo sabíamos de antemano. Sin embargo, lejos de silenciarnos, la cárcel solo reforzó nuestra determinación.

Acto II

Prisión: cartas desde Pik Uk

經過昨日的醫後拉查後，終於在醫務訊中的大倉渡過了第一個晚上，我被分配至一個三人的監倉房裡，慶幸同屋的囚友也很友善，即使訊中環境明顯沒有想像中那般好，但在沒有床鋪的硬地板床還是需要時間適應，怕很難一時之間睡得著，天氣悶熱難忍，不過也算順利，或許兩年79天的街頭作領，也讓我適應了環境，所以在少年倉的適應方面，絕佳食物也是千篇一律的單調，步操體訓也從未經歷過，大家也無須太為我擔心。

監獄上講求少年犯要有紀律的生活，對比起晚十的生活也讓我在作息上來得有點不習慣，還掌監也很久沒試過那麼早起床，而自8月11日（星期日）晚被判入獄開始，每早要食晚也從監獄的中央電台廣播聽到香港即時新聞報導，自己記得作最新的是，區製是很有趣，今天在監裡起床，便聽到監時播放第一首訊國「能進香我感傷」的聲音表示，對兩週前被判三人。對住時間差不多聽到鼓勵（大概的意思），認為三人的努力會被歷史認住……想不到這大倉裡的清早，就會被這用電廣播播叫醒起床。

無奈之餘，監房裡除了升便四友訂閱報紙，是有所謂大街報的提供，即不為何會提供的經報，但不失為何只有得閱東方日報，但從昨晚成功借閱的報紙，也感受到大聲外我們的支持，尚有國際媒體的鋪天蓋地的報導，也正如我跟記者所說得，香港法治經已在日外，希望國際化關人愛惜愛惜的朋友們，能夠藉著這刻知絡，望著這刻情況一香港很是處於威脅政體民狀態，所謂的法治已是不斷受到北京侵住，過去中國朋友雖然也有法治但沒民主的地方，但今天我也發覺有這種合作的城市，寫信同人被判入獄用朋友，不怕為港還是與海外，對比起我們在監倉失去自由，其實在監各外的你們更要面對著更嚴反你的形勢，而正因為前緣因此這個才成市失往往你的自由，可以嗎？言之著 Things cant defeated us can make us stronger. 捱過大難我們終可堅定起來。

回到獄中生活的問題上，由於我仍未落山（完結七天的新人訓練），所以仍未分配到我的工作位置（期數），但仍在努力適應當中，預會飯堂打掃的工作位置，以及每天學習摺被、摩鞋等手藝，距離獲釋只餘下三個多月，希望狀態如如地過，還望無論如何也勉勵大家好好加油，往後我會書寫天天獄日記，鼓勵在監獄以外的各位好好加油。

Facsímil de una carta escrita a mano por Joshua desde la institución penitenciaria Pik Uk, 19 de agosto de 2017.

Carta desde
la institución penitenciaria Pik Uk

獄中的信

Día 2. Viernes, 18 de agosto de 2017

He estado siguiendo las noticias en la prensa y en la radio comunal. Me gustaría dar las gracias a las personas que me apoyan, por sus buenos deseos.

La vida en la cárcel no es fácil, pero, precisamente por eso, quería escribiros esta carta y muchas otras en los próximos meses. Quiero compartir con vosotros los pensamientos que me han estado rondando por la cabeza y deciros que pienso en todos vosotros, al otro lado de los muros de esta prisión.

Las últimas palabras que pronuncié antes de que me sacaran de la sala del tribunal fueron: «¡Adelante, pueblo de Hong Kong!». Así es como veo nuestra lucha política.

En marzo de 2013, el profesor Benny Tai anunció

su campaña Ocupa el centro. Su objetivo era exigir el sufragio universal paralizando el distrito financiero, la forma más eficaz de obligar a nuestro Gobierno a que nos escuche. El profesor Tai nos advirtió que la cárcel sería el paso final e inevitable en una campaña de desobediencia civil.

Puesto que Ocupa el centro —y la Revolución de los Paraguas, que la sucedió— acabó sin alcanzar el objetivo que se había propuesto, Hong Kong ha comenzado uno de sus capítulos más difíciles. La sociedad civil se ha atascado en un surco, sin saber si continuar o cómo hacerlo. Después de una campaña fallida, la desilusión y la impotencia se apoderan de los manifestantes. Algunos deciden dejar la política, otros, como yo, acaban en la cárcel.

El recurso contra la sentencia a mis compañeros de la Revolución de los Paraguas Nathan Law y Alex Chow y a mí mismo ha sido un golpe devastador para la moral de los activistas prodemócratas. También lo ha sido la condena a los llamados «Trece de los NNT», trece activistas que se enfrentaron a la policía durante una protesta contra un controvertido proyecto gubernamental de desarrollo en el noreste de los Nuevos Territorios, cerca de la frontera china.

Aunque parezca que hemos tocado fondo, debemos mantenernos fieles a nuestra causa. Hemos de hacerlo. Espero que estar aquí y escribir esta carta sirva para convencer a mis amigos que han decidido alejarse de la política de que reconsideren su postura. Si no, nuestro sacrificio —la pérdida de libertad de los dieciséis— no habrá servido de nada.

Quiero contaros todo lo que me ha sucedido en Pik Uk desde que me encarcelaron hace treinta y seis horas. Me alegra poder informaros de que no he sufrido ningún maltrato por parte de las autoridades de la prisión. Espero que siga siendo así hasta que salga. Al ser un recluso nuevo, he de pasar diez días en periodo de orientación. Mi rutina carcelaria no comenzará hasta entonces y no tengo ni idea de lo que me espera ni de si lo soportaré. Todo parece más estricto de lo que imaginaba en una cárcel juvenil. Por ejemplo, todos los presos han de hacer instrucción y pasar revista todas las mañanas. No sé si Nathan y Alex tendrán que hacer lo mismo en su cárcel para adultos.

Me ha sorprendido que la comida no esté tan mal, es mucho mejor que la que nos dieron cuando estuvimos detenidos en comisaría. A pesar de todo, sigo echando de menos el té con leche que prepara mi madre y el estofado de pollo del puesto de comida callejera en el que estaba a todas horas con mis amigos. Es el primer sitio al que iré en cuanto salga de aquí.

Hay dos cosas a las que me costará acostumbrarme: la monotonía y la absoluta autoridad de los que están al cargo. He de asegurarme de que ninguna de las dos atenúa mi pensamiento crítico o refrena la forma en la que siempre he desafiado la autoridad. He decidido utilizar el tiempo muerto para pensar en el camino a seguir y encontrar una forma mejor de trabajar con el resto de la sociedad civil para que la democracia sea una realidad. Sé que en la cárcel he de mantener la mente ocupada o la cárcel ocupará mi mente.

Mañana por la mañana hablaré con el asistente social y le pediré que haga una subscripción a los periódicos liberales *Ming Pao* y *Apple Daily* —los dos únicos de gran formato creíbles que quedan en Hong Kong— para mantenerme informado de lo que sucede en el mundo exterior. También solicitaré una radio, para oír los programas con participación telefónica por la mañana y por la noche. Sin esas dos cosas, el tiempo pasará lentamente y la vida entre rejas será insoportable.

En cualquier caso, lo que estoy pasando no es nada comparado con el falso arresto de Liu Xiaobo en China continental o la detención ilegal del librero Lam Wing-kee.[2] Estos dos hombres son una fuente de inspiración y un recordatorio de que necesito toda la fuerza interior que sea capaz de reunir para pasar los próximos seis meses.

El gran Mahatma Gandhi dijo en una ocasión: «Podéis encadenarme, podéis torturarme, incluso podéis destrozar este cuerpo, pero jamás encarcelaréis mi mente». Estas palabras de Gandhi tienen ahora un significado mucho más personal para mí.

2. Liu Xiaobo, un activista chino por los derechos humanos, Premio Nobel de la Paz en 2010, fue sentenciado a once años de cárcel por ser el coautor de un manifiesto que exigía el pluralismo político en China. Murió a causa de un cáncer de hígado mientras cumplía condena. Lam Wing-kee fue uno de los cinco libreros de Causeway Bay Books secuestrados por las autoridades chinas por publicar libros críticos con el liderazgo comunista (véase Acto I, capítulo 4, «De manifestantes a políticos»).

De momento, mi mayor preocupación es el estado de mi partido político. Desde que Nathan y yo cofundáramos Demosistō en abril de 2016, hemos sufrido una serie de reveses importantes. Hace cuatro semanas, Nathan perdió su duramente ganado escaño en el Consejo Legislativo (LegCo), cuando lo inhabilitaron a él y a otros cinco miembros por no haber pronunciado debidamente el juramento en la ceremonia de investidura. El llamado «Caso del juramento» fue una estratagema de la élite gobernante para deshacerse de los diputados prodemócratas de la Asamblea Legislativa y rediseñar el equilibrio de poder en la política local.

La inhabilitación de Nathan supuso un duro golpe para Demosistō. No solo nos costó nuestro único escaño en el LegCo, sino que la pérdida de su sueldo como diputado supuso que nuestro partido perdiese su única fuente de ingresos regulares. Nos concedieron una semana para recoger nuestras cosas y abandonar el edificio del LegCo. Nathan y su equipo —todos miembros de Demosistō— se quedaron automáticamente en paro.

Después, esa misma semana, tres miembros importantes del partido, Nathan, Ivan Lam y yo, entramos en la cárcel. A Nathan y a mí nos condenaron a seis meses por irrumpir en la Plaza Cívica dos días antes del comienzo de la Revolución de los Paraguas e Ivan fue uno de los «Trece de los NNT». Al mismo tiempo, Derek Lam, otro miembro clave del partido, irá a juicio esta semana por haber participado en otra protesta frente a la Oficina de Enlace de Hong Kong, embajada china de facto en la ciudad y responsable de muchas de las políticas controvertidas propuestas por nuestro Gobierno.

Casi todos los miembros de Demosistō están sin trabajo y hemos de encontrar la forma de mantener a flote el partido, teniendo en cuenta que la mitad de nuestro comité ejecutivo está entre rejas o lo estará en las próximas semanas. A veces digo en broma que pronto estaremos tantos de nosotros en la cárcel que podremos tener *quorum* para una reunión del comité.

No sé de otro partido político en Hong Kong que haya sufrido tantos altibajos como Demosistō en los últimos quince meses. Debe ser desalentador y desorientador para los miembros del partido, sobre todo para los jóvenes licenciados que acaban de incorporarse. Pero, por mucho que nos quejemos sobre lo que hemos padecido, creo que los juicios y las tribulaciones son precisamente lo que necesitamos para crecer y progresar. Tal como dicen: «Las espadas se forjan a fuego». De hecho, todos los baches por los que hemos pasado solo nos han reforzado y preparado para desafíos aún mayores. Al fin y al cabo, si sobrevivimos a la campaña contra la Educación Nacional y a la Revolución de los Paraguas, podremos resistirlo todo.

¿Y mi mensaje al bando pro-Pekín? «No lo celebréis tan pronto.» Demosistō utilizará todo lo que esté en su mano para recuperar el escaño de Nathan en las próximas elecciones parciales. Nuestra determinación compensa con creces nuestra falta de recursos financieros. Los votantes de Hong Kong no aguantan tonterías. Se dan perfecta cuenta de los trucos que se utilizan y volverán a enviar a uno de nosotros al LegCo.

Acabaré compartiendo con vosotros el estado de ánimo en el que me encontraba ayer durante la audiencia. Al entrar en el Tribunal Supremo me emocionó tremendamente que hubieran venido a animarnos cientos de simpatizantes. Dentro de la sala había un grupo de amigos con ideas afines que había estado a nuestro lado en todo momento durante nuestras batallas legales. Cuando los jueces dictaron sentencia, algunos de esos amigos se echaron a llorar y otros corearon eslóganes. Muchos de los presentes dieron palmadas y patalearon con fuerza, el estruendo fue tan grande que uno de los jueces aporreó con el mazo y ordenó que la sala guardara silencio. Entonces supe que no estaba solo, ni lo estaré nunca, en este trayecto.

Mi viaje comenzó en 2012, cuando lideré la campaña contra la asignatura de Educación Nacional. He vivido cinco años tumultuosos. No derramé ni una sola lágrima cuando el juez dictó sentencia, y no porque fuera valiente, sino porque quería que mis simpatizantes entendieran mi pérdida de libertad como un paso necesario en el camino colectivo hacia la democracia. Tal como dijo J. K. Rowling: «Lo que tenga que venir, vendrá y le plantaremos cara cuando llegue».

Hong Kong está en una encrucijada. El régimen imperante no se detendrá ante nada para silenciar la disidencia. Ha perseguido sin descanso, y continuará haciéndolo, a todo el que considera como una amenaza a su control sobre el poder. Para los que osan hacerle frente, el único camino que seguir es el de la unidad. Y esta noche, solo en mi celda, os pido que mantengáis la cabeza alta y uséis vuestras lágrimas, rabia y frustración como acicate para seguir adelante.

¡Adelante, pueblo de Hong Kong!

La situación de fuera es más desesperada que la de dentro

監倉外的形勢比監倉內更嚴峻

Día 3. Sábado, 19 de agosto de 2017

Me han asignado una celda para dos personas. Mi compañero parece agradable, aunque apenas hemos tenido oportunidad de hablar antes de que apagaran las luces.

Las condiciones en una cárcel juvenil no son tan malas como creía. A pesar de que estamos en pleno verano, la ventilación es aceptable y el calor, tolerable. Hasta ahora, el mayor inconveniente es la cama. Aunque llamarla cama es una exageración. Solo es una tabla de madera sin colchón. Pero, bueno, si pasé setenta y nueve noches durmiendo en una autopista durante la Revolución de los Paraguas, estoy seguro de que me acostumbraré a ella.

En la cárcel todo se reduce a la disciplina y a obedecer órdenes. Por la mañana tenemos que levantarnos a las seis y por la noche las luces se apagan a las diez. Ni siquiera cuando estaba haciendo campaña con Nathan para que consiguiera un escaño en el LegCo tenía que levantarme tan temprano. Imagino que no me gusta madrugar.

Las noticias se anuncian por megafonía dos veces al día. Esta mañana me ha despertado una noticia sobre Chris Patten, el último gobernador de Hong Kong. «En una comparecencia pública —decía el locutor—, el señor Patten ha comunicado a los periodistas que le alentaba el sacrificio que estaban haciendo Joshua Wong, Alex Chow y Nathan Law, y que creía que esos tres nombres pasarían a la historia.» Me ha parecido surrealista oír mencionar mi nombre de esa forma delante del resto de reclusos. Finalmente he asumido la realidad de que soy un criminal convicto.

Por lo que tengo entendido, se permite que los reclusos estén suscritos a un periódico. Además, también podemos leer gratis los llamados «periódicos comunales». Consternado (aunque no debería sorprenderme), observo que la mayoría son portavoces de Pekín, como el *Wen Wei Po*, el *Ta Kung Pao* y el *Sing Tao Daily*.

Por suerte, consigo que un recluso me preste su ejemplar del *Apple Daily*. En él me entero de las muestras de apoyo público al «trío de los paraguas»: Alex, Nathan y yo, y de la masiva cobertura de nuestro encarcelamiento por parte de la prensa extranjera.

Espero que lo que nos ha sucedido envíe un mensaje claro a la comunidad internacional: el estado de derecho en Hong Kong se está desmoronando y convirtiendo gradualmente en un gobierno por decreto. La absoluta conformidad triunfa sobre la libertad personal y las peticiones pacíficas de democracia. La implacable persecución de activistas políticos por parte de nuestro Gobierno a través del sistema de justicia penal no solo viola la libertad de expresión, sino que también difumina las líneas que separan las tres ramas del gobierno —ejecutiva, legislativa y judicial— y, a la larga, erosiona nuestra confianza en la independencia del poder judicial de la ciudad.

En muchos aspectos, la situación al otro lado de los muros de esta prisión es mucho más desesperada que la que tenemos dentro de ellos. Cuento con todo el mundo que ame y se preocupe por Hong Kong, viva aquí o en el extranjero, para que continúe la lucha en mi ausencia. Dicen que lo que no nos mata nos hace más fuertes. Una vez que superemos esta serie de persecuciones políticas, nos fortaleceremos y estaremos más unidos que nunca.

En cuanto acabe el periodo de orientación, me incorporaré a un grupo de trabajo con otros reclusos. Hasta entonces seguiré haciendo tareas sencillas, como barrer el suelo del comedor, doblar la ropa lavada y limpiar zapatos. En los meses siguientes escribiré con frecuencia. Me cuidaré y pensaré en mis amigos y en mi familia.

Buscando respuestas en una cárcel juvenil

在少年監獄尋找答案

Día 4. Domingo, 20 de agosto de 2017

La vida en la cárcel se ajusta a un horario muy estricto. El domingo es el día libre, en el que los reclusos van al comedor de siete de la mañana a siete de la tarde.

De no ser por la televisión, «pasar el tiempo» sería una tortura. Para la mayoría de convictos, uno de los momentos culminantes de los domingos es ver reposiciones de telenovelas en la TVB (Television Broadcast Limited, el único canal de libre acceso en Hong Kong) por la tarde. Da lo mismo que la TVB sea tremendamente impopular debido a su práctico monopolio de las retransmisiones y su sesgo pro-Pekín y progobierno en todo lo que emite, desde las noticias a su selección de programas. Imagino que disponer de un pasatiempo en la cárcel es mejor que no tener ninguno.

Me alegra ver en directo a Lester Shum, líder estudiantil y compañero en la Revolución de los Paraguas, en el programa de actualidad *On the Record*, hablando sobre la prisión por motivos políticos. También sigo la cobertura informativa de otra protesta masiva en domingo, en apoyo al trío de los paraguas. Además de ver televisión, mato el tiempo leyendo mi ejemplar prestado de ayer del *Apple Daily*, de cabo a rabo.

Aparte de la cama sin colchón, lo más duro (nunca mejor dicho) es acostumbrarse a estar desconectado del mundo exterior. Una cosa es no tener acceso a redes sociales como Facebook o Twitter y otra muy distinta no poder mantener una conversación con los amigos. Así que saboreo toda oportunidad de sentirme conectado con el mundo exterior, ya sea a través de la televisión, la radio o los periódicos.

Lo más reconfortante que ha sucedido hoy es que hayan mencionado a Ivan Lam en el noticiario de la tarde. El presentador ha leído extractos de una carta que Ivan ha escrito en su celda. Aunque estemos en cárceles distintas (los Servicios Penitenciarios siempre separan a los presos que se conocen, para evitar acciones organizadas), al oír las palabras de Ivan he sentido que estaba sentado a mi lado.

En los dos últimos días he hecho algunos amigos en Pik Uk. Hoy he estado hablando con un joven preso de conciencia, Mark Tze-hei. En marzo de 2017, cuando tenía veinte años, lo acusaron de participar en los disturbios ocurridos durante el Nuevo Año Chino en Mongkok[3] y

3. Bautizada como la Revolución de las Bolas de Pescado por la

lo sentenciaron a dos años de cárcel. De lo que me he dado cuenta rápidamente es de que, aunque tengamos ideas políticas diferentes (él es un agitador proindependencia y yo no), podemos intercambiar ideas libre y positivamente. Al fin y al cabo, hemos terminado entre rejas por nuestras creencias políticas. Y, lo que es más importante, compartimos el mismo amor por nuestra ciudad.

Conocer a Tze-hei me ha recordado que muchos activistas no han tenido ni la fama ni el apoyo que hemos recibido Nathan, Alex y yo. Como no son personas conocidas, les cuesta mucho más conseguir fondos para optar a la mejor defensa. Hemos de recalcar que hay montones de héroes anónimos, como los que participaron en los disturbios de Mongkok o los Trece de los NNT, que luchan en silencio.

Siguiendo con el tema de los activistas olvidados, hoy he conocido a algunos manifestantes que participaron en la Revolución de los Paraguas y las protestas contra la Educación Nacional. Todavía no he conseguido enterarme de cómo acabaron en la cárcel, pero he reconocido sus caras por haberlos visto en esas campañas a lo largo de los años.

---

prensa local, en 2016, el día de Nochevieja chino, en febrero, cientos de manifestantes, la mayoría localistas partidarios de la independencia de Hong Kong, se enfrentaron a los policías antidisturbios después de que el Gobierno hubiera cerrado unos puestos callejeros de comida, sin licencia, pero muy populares, en Mongkok (muchos de ellos vendían bolas de pescado). Se acusó a muchos manifestantes de alterar el orden público.

La mayoría de los presos —un setenta por ciento según mis cálculos— están aquí por delitos relacionados con drogas, unos como consumidores y otros como camellos. La sociedad los tacha de criminales y de *fai ching* (en cantonés, literalmente «jóvenes inútiles»). Pocos se dan cuenta de que esos jóvenes solo son un síntoma de lo que no funciona en nuestro sistema educativo y social, y no la causa. Nadie nace siendo criminal.

En general, la mayoría de los reclusos son sinceros y cordiales, y hay muchas cosas que puedo aprender de ellos. Dentro de ocho semanas tendré veintiún años y me trasladarán a una cárcel para adultos en otra parte de la ciudad. Hasta entonces, haré un esfuerzo consciente por conocerlos y oír sus historias.

Esta situación pone de manifiesto la hipocresía de las élites gobernantes. Los líderes políticos como la jefa ejecutiva Carrie Lam y el secretario jefe Matthew Cheung siempre están hablando del esfuerzo que hacen para «conectar con los jóvenes» de Hong Kong. Son las mismas personas que imposibilitaron que Nathan y otros jóvenes diputados estuvieran en el LegCo, con lo que invalidaron el voto de miles de jóvenes electores. Después, llevaron a juicio a los jóvenes manifestantes y los metieron en la cárcel. Los funcionarios del Gobierno jamás se han sentado con los activistas para negociar una salida al punto muerto político.

Hoy, un joven recluso me ha dicho que conoció a Nathan en una visita de diputados a la cárcel. En Hong Kong, los miembros del LegCo y los jueces de paz —un título honorífico concedido por el Gobierno a algunos líderes comunitarios— se encuentran entre los pocos privilegiados que pueden visitar a un preso cuando quieran. Antes de que el «Caso del juramento» le arrebatara el escaño, Nathan ejerció ese derecho y fue a varias cárceles, entre ellas la de Pik Uk. La ironía de que Nathan esté ahora entre rejas es obvia.

Alegatos finales en el juicio por desacato

旺角清場被捕結案陳詞

Día 8. Jueves, 24 de agosto de 2017

Esta mañana he salido de Pik Uk para ir a la vista final del juicio por desacato. Me ha sentado bien romper la monotonía diaria en estas instalaciones y ver algunas caras conocidas, aunque haya sido en una sala de audiencias.

Era uno de los veinte activistas acusados de desacato por haber violado la orden judicial de no entrar en la zona de protesta en Mongkok durante los últimos días de la Revolución de los Paraguas. Mis abogados me aconsejaron que me declarara culpable, para rebajar la condena; creen que me condenarán de tres a seis meses.

Con buena conducta, la pena de seis meses que estoy cumpliendo por irrumpir en la Plaza Cívica puede acortarse a tres o cuatro meses, con lo que podrían dejarme libre el 17 de diciembre, de no ser por el caso de desacato. Sin embargo, el juez que preside la sala seguramente acumulará las dos condenas y seguiré preso algunos meses más. Hay muchas probabilidades de que siga en la cárcel hasta finales de primavera del año que viene. Me estoy preparando mentalmente para la posibilidad de pasar las Navidades y el Nuevo Año chino entre rejas.

Acto seguido, recuerdo que otros activistas han recibido condenas mucho más severas que la mía. En un principio, a los Trece de los NNT solo se les condenó a servicios comunitarios por entrar en una reunión del comité del LegCo en junio de 2014, antes de ser sentenciados a cumplir una condena de ocho a catorce meses en la cárcel, cuando el Departamento de Justicia apeló para que se les impusiera un mayor castigo. Entre ellos se encuentran Ivan y el compañero activista Raphael Wong. Raphael es el vicepresidente de un partido prodemócrata llamado Liga de los Socialdemócratas (LSD). Las duras condenas que recibieron sentaron un peligroso precedente para las futuras sentencias de manifestantes contra el Gobierno y, a su vez, han tenido un efecto amedrentador en la libertad de reunión en Hong Kong.

Hoy he visto a Raphael en la sala de justicia. Estaba implicado en el mismo caso por desacato en Mongkok. Tras la audiencia, hemos comentado brevemente con los abogados la estrategia para la apelación, en caso de que el tribunal nos condene. Raphael estaba de buen humor, como siempre, a pesar del triple castigo al que se enfrenta: el juicio por desacato en Mongkok, la sentencia de trece meses por participar en las protestas de los NNT y, sobre todo, los cargos por alterar el orden público como líder de la Revolución de los Paraguas.

Este asunto consigue que me sienta un poco incómodo con la enorme atención mediática que recibimos Alex, Nathan y yo la semana pasada. Al día siguiente de que me enviaran a la cárcel, mi cara apareció en primera plana en los periódicos locales. La verdad es que hay infinidad de personas a las que se está juzgando o se va a juzgar en Hong Kong por su activismo. Bastantes de ellas se enfrentan a penas de cárcel mucho mayores que las nuestras.

En la cuestión de los periódicos, no puedo recalcar más lo difícil que es la vida sin acceso a las noticias sobre temas de actualidad. Todavía estoy intentando conseguir las ediciones de ayer y de hoy del *Ming Pao* y el *Apple Daily*, lo que quiere decir que llevo dos días de retraso en las noticias. Esa será mi lucha diaria hasta que comience mi suscripción. Nunca pensé que podría ansiar tanto leer los periódicos: la sencilla alegría de llevarlos a la celda y devorar la sección de política local y todas las columnas de opinión.

Estoy acostumbrado a tener el móvil siempre a mano, para escribir mensajes de texto trepidantes a los amigos, enviar comentarios a la prensa y ocuparme de los asuntos grandes y pequeños del partido. No tener teléfono es como carecer de extremidades o tener un picor que no me puedo rascar. Supongo que he de aprender a olvidarme de él y a delegar las responsabilidades del partido en mis compañeros. Quizá incluso aprenda a disfrutar del tiempo libre; es poco probable, pero, al menos, lo intentaré.

Poco después del almuerzo, me han llevado de vuelta a Pik Uk. Me han dicho que todos los presos han de someterse a un análisis de orina cada vez que salen de las instalaciones penitenciarias. Hasta que comprueben el resultado, nos han llevado a un pabellón distinto del de los otros presos. Lo llaman «cuarentena».

La próxima vez que salga de Pik Uk será en septiembre, para ir a la audiencia por el caso de desacato, y quizá de nuevo en octubre, para presentar un recurso a esa sentencia. Mientras tanto, estoy deseando recibir cartas de mis seres queridos y mis primeras visitas de amigos y familiares este sábado. La expectativa me mantendrá animado durante unos días.

Visita de un diputado

議員探訪

Día 9. Viernes, 25 de agosto de 2017

Shiu Ka-chun, miembro del LegCo, ha venido a verme esta mañana.

Shiu, apodado «Botella»[4], es un trabajador social veterano. Entró en el LegCo en 2016, en las mismas elecciones en las que Nathan ganó su escaño, pero en representación de otro distrito. Botella no participó en el Caso del juramento y conservó su escaño en el consejo.

Puede venir siempre que quiera gracias al privilegio especial del que disfrutan los diputados y jueces de paz (véase página 103). Durante la visita de una hora, me ha hablado de su inminente juicio por alterar el orden público como uno de los líderes de la Revolución

4. Su nombre de pila, Chun, y la palabra «botella» suenan igual en cantonés.

de los Paraguas; me ha informado sobre varias reuniones con el bando pandemócrata y me ha detallado la estrategia de los pandemócratas para las elecciones parciales, en las que esperan ocupar la media docena de escaños que quedaron vacíos después del Caso del juramento.

Entre los diputados pandemócratas, Botella ha sido el que más atención ha prestado a la delincuencia juvenil. Es famoso por sus visitas regulares a cárceles como la de Pik Uk. Tal como esperaba, me ha preguntado qué tal lo llevo entre rejas y si he sufrido algún tipo de abuso por parte del personal penitenciario. No he tenido nada negativo sobre lo que informarle, porque la verdad es que me han tratado bastante bien. El resto de presos se ha mostrado cordial conmigo y la actitud de los guardias ha sido correcta en general. «Si hubiera sentido algún tipo de animadversión —he bromeado—, ten por seguro que lo anotaría en mi diario.» Bromas aparte, sé que todos debemos estarle agradecidos. De no ser por sus incansables esfuerzos a lo largo de los años para mejorar las condiciones en las cárceles y sensibilizar sobre los abusos cometidos contra los presos, la situación en Pik Uk podría ser mucho peor.

Conocí a Botella hace seis años, cuando era un estudiante de secundaria de catorce años y él trabajador social y locutor de radio. Posteriormente, presentó algunos de mis mítines contra la Educación Nacional. En el documental producido por Netflix sobre mí, *Joshua: Adolescente vs. superpotencia*, hay una escena en la que aparezco en el programa de radio en directo de Botella y me pregunta si tengo novia. «Mi madre me ha dicho que es muy pronto para que salga con chicas», contesto, y todo el mundo en el estudio se echa a reír. Fue un momento frívolo. Ninguno de los dos podría haber pensado que cinco años más tarde estaríamos hablando a ambos lados de una mampara de cristal.

Cuando se ha ido, he tenido un poco de tiempo libre. Debido a la cuarentena, no se me permitía estar con el resto de presos en el comedor, así que he vuelto a mi celda para echar una siesta en esa cama infernal sin colchón. No me acordaba de la última vez que había dormido una siesta. En cuanto se han sabido los resultados del análisis de orina, me han dicho que podía unirme al resto de reclusos en las zonas comunes. De camino al patio principal, me han parado un par de guardias de paisano y me han preguntado si quería participar en una encuesta sobre los presos.

La mayoría de las preguntas han sido bastante triviales:

¿Por qué crimen te han condenado?

¿Tomas drogas?

¿Formas parte de las tríadas (organizaciones criminales)?

Después, las preguntas han empezado a ser algo más personales:

¿Tienes confianza en encontrar un trabajo cuando salgas libre?

¿Crees que eres apto para trabajar?

¿Te importa tu familia?

¿Tienes amigos en los que puedas confiar?

¿Controlas tus estados de ánimo y tus emociones?

¿Tienes tendencias violentas?

Sabía que según las respuestas a esas preguntas de sí o no, me enviarían a diferentes cursos de rehabilitación y talleres. He intentado no ser cínico con esa metodología, porque sé que ningún sistema es perfecto y estoy seguro de que algunas clases son beneficiosas para los reclusos. No puedo dejar de pensar en si el enfoque es demasiado algorítmico. Tampoco veo cómo esperan que una encuesta igual para todos les ayude a decidir cómo reeducar a presos de toda condición. Esa encuesta es especialmente irrelevante para presos de conciencia como yo, que no creen haber hecho nada malo y mucho menos quieren arrepentirse.

Hace tiempo que no estrecho una mano

久違了的握手

Día 10. Sábado, 26 de agosto de 2017

El tiempo transcurre lentamente en la cárcel, pero los días también se te escapan de las manos sin darte cuenta.

Hace diez días que llegué a Pik Uk, lo que quiere decir que mi periodo de orientación está a punto de acabar. El próximo domingo me uniré oficialmente al resto de «graduados» en las rutinas del grupo, incluidas las temibles revistas matinales. También se me exigirá que domine el intrincado arte de plegar mantas. Parece una tarea sencilla, pero, para mí, es complicada. Durante el periodo de orientación apenas he estado a la altura exigida por los guardias, ni siquiera con la ayuda de mi compañero de celda. A partir del lunes tendré que hacerlo solo y no me apetece llevarme una bronca por lo torpe e inútil que soy.

A comienzos de la semana que viene mis días se dividirán en clases por la mañana y trabajo por la tarde. Hay cuatro tipos de clases, dependiendo del nivel de educación del preso:

Clase 1: quinto de secundaria (duodécimo curso)

Clase 2: tercero de secundaria (décimo curso)

Clase 3: segundo de secundaria (noveno curso)

Clase 4: primero de secundaria (octavo curso)

Rezo porque los guardias sepan que estoy en segundo de carrera y me pongan en la Clase 1. Ayer oí casualmente que quizá me apunten en la Clase 3, por algún motivo, y me entró el pánico. No quiero ni imaginarme lo doloroso que puede ser estar sentado una mañana tras otra entre un grupo de nivel de noveno.

Hoy ha venido a verme Bond Ng, uno de mis abogados. Hemos estado hablando de los cargos pendientes de, al menos, cuatro miembros de Demosistō: Nathan (reunión no autorizada), Ivan (reunión no autorizada), Derek (alteración del orden público) y yo (desacato). Nuestro calendario está lleno de juicios, audiencias para solicitar fianzas, condenas, recursos y más recursos. El aparentemente interminable ciclo del sistema de justicia penal me mantiene despierto por la noche y está presente en todas las comidas. Es surrealista que jóvenes como nosotros tengan que preocuparse porque los envíen reiteradamente a la cárcel y, sin embargo, esa es la realidad a la que nos enfrentamos.

Bond y yo también hemos hablado del reciente tifón sobre el que he leído en el periódico. Me ha contado que el viento era tan fuerte que los ladrillos volaban. Una de las zonas afectadas ha sido el muelle de South Horizons, donde vivo con mis padres. Echo de menos mi barrio y sus habitantes.

A pesar de que Pik Uk es una cárcel relativamente civilizada, no es un lugar feliz. A lo largo del día se oyen muchos gritos —en su mayoría de los guardias dando órdenes a los presos o riñéndoles por una cosa u otra—, así que cuando Bond me ha estrechado la mano antes de irse me he sentido extrañamente fuera de lugar. Desde que llegué no le había estrechado la mano a nadie.

Las autoridades penitenciarias no me tratan como a un igual. Como recluso, funciono con subordinación absoluta. Debo obedecer todas las órdenes sin cuestionarlas y dirigirme a los funcionarios con el honorífico «señor». Por ejemplo, si un guardia me para porque quiere hablar conmigo, he de poner cualquier cosa que lleve en las manos —el cepillo de dientes, una toalla, libros, etcétera— en el suelo antes de contestar a sus preguntas, sin mirarle a los ojos.

Hace un par de días leí una noticia sobre Paul Shieh, un respetado abogado y antiguo presidente del Colegio de Abogados de Hong Kong, que hizo furor tras hablar en un programa de radio muy popular sobre los problemas legales a los que se enfrentaban los activistas políticos. Shieh hizo hincapié en que el profesor Benny Tai y los líderes de Ocupa el centro merecían estar en la cárcel y dijo: «tienen lo que pidieron», cuando organizaron la campaña de desobediencia civil. Tanto Botella como Bond me han preguntado qué opinaba de ese comentario. Les he contestado que la actitud de Shieh y del resto de las llamadas «élites sociales» de Hong Kong es lo que desgarra nuestra sociedad. Se llame nepotismo o plutocracia, el sistema siempre favorece a las escalas más elevadas y deja a los impotentes a la intemperie. Tal como hace aquí, en Pik Uk.

El periódico más codiciado es el *Oriental Daily News*. Es pro-Pekín, pero tiene un póster central muy popular entre los hombres. Al mismo tiempo, las únicas noticias que se ven en la televisión son las de la TVB, un canal que normalmente no vería. Ahora me doy cuenta de lo que significa estar expuesto a fuentes de información tendenciosas sin enterarse. Y, si nadie se da cuenta, los leminos irán hacia el precipicio sin siquiera saber que hay otro camino. Por suerte, como todos van directos al *Oriental Daily*, nadie toca el ejemplar comunal de *Ming Pao*, y, todas las mañanas, mi atento compañero de celda, Ah Sun, me lo trae sin siquiera pedírselo.

Hablando de tendenciosidad, esta tarde un supervisor ha venido para hablar sobre los últimos sucesos que aparecen en las noticias. Ha empezado declarando ser un «independiente» y diciendo que no es ni «lazo amarillo» (partidario de la Revolución de los Paraguas) ni «lazo azul» (partidario del Gobierno y la policía). Me ha preguntado si me arrepiento de haber entrado en la política y haber acabado entre rejas, antes de dirigirme un monólogo de treinta minutos en el que me ha informado de su opinión sobre mi condena y el recurso gubernamental contra mi sentencia. Su razonamiento —si lo fuera— me ha parecido muy similar al de Paul Shieh sobre el profesor Tai: tenemos lo que pedimos.

No le he refutado, más que nada por una cuestión de supervivencia, pero también porque sé que nada de lo que diga cambiará su forma de pensar. Así que he sonreído y me he alejado de él despacio.

Un plan de resistencia con seis vías

抵抗威權的六件事

Día 11. Domingo, 27 de agosto de 2017 (1.ª parte)

El tifón de fuerza 8 ha llegado. Todas las actividades en el exterior se han cancelado.

Mi compañero y yo estamos encerrados en nuestra celda de seis metros cuadrados y medio, lo que me da mucho tiempo para redactar una entrada más larga en el diario. Soy disléxico —de ahí la cantidad de erratas y el uso equivocado de caracteres— y mi letra es un desastre. Debo pedir disculpas de antemano al pobre que tenga que transcribir este manuscrito.

Durante la semana pasada ocurrieron muchas cosas. Por lo que he leído en los periódicos, el domingo los activistas organizaron una concentración masiva —la mayor desde la Revolución de los Paraguas— para apoyarnos a Alex, a Nathan y a mí. Esa enorme concurrencia se debió en gran parte al hecho de que en Hong Kong nunca había habido presos políticos hasta hace poco. Esta nueva situación ha desconcertado a mucha gente, sobre todo a padres preocupados porque sus hijos también acaben entre rejas si participan en la vida política.

Esta semana Reuters ha revelado que el secretario de Justicia Rimsky Yuen ha invalidado la decisión interna de no recurrir la sentencia de varios activistas condenados, incluida la mía. Al mismo tiempo, el Tribunal Superior de Apelación se ha negado a aceptar el recurso presentado por dos de los seis diputados inhabilitados por el Caso del juramento. Y el cruel comentario de Paul Shek sobre el profesor Tai recibiendo su merecido lo ha rematado.

Hong Kong se está convirtiendo poco a poco en una autocracia. En esta coyuntura crítica, los activistas prodemócratas deben estudiar de nuevo la situación e idear un plan de resistencia más eficaz para seguir adelante. Estas son seis ideas de cómo podemos hacerlo:

1. Evidenciar el tema tabú

Según los principios del derecho consuetudinario, los jueces están obligados por los casos precedentes a garantizar la coherencia y la imparcialidad. En el caso de reunión no autorizada, un delito recogido en la Ordenanza sobre el orden público, la pena más severa impuesta por un tribunal desde la transferencia de soberanía ha sido de seis meses (a los manifestantes contrarios al presupuesto gubernamental que ocuparon una calle del distrito financiero y se enfrentaron a la policía). Sin embargo, los Trece de los NNT siguen cumpliendo condenas que van de los ocho a los trece meses. Del mismo modo, a Nathan, a Alex y a mí se nos impuso una condena de seis a ocho meses por irrumpir en la Plaza Cívica.

En juicios recientes, los jueces han insistido en la necesidad de imponer penas mayores como «elemento disuasorio» contra una «tendencia malsana» de disturbios civiles. Tengo la impresión de que los jueces inoculan cada vez más su ideología en las sentencias y de que cada vez están más dispuestos a utilizar los tribunales para expresar sus opiniones políticas. A pesar de que los jueces se apresuran a declarar su neutralidad política, el hecho de que califiquen el activismo de los jóvenes como una tendencia «malsana» que es necesario frenar es la prueba de que algunos jueces no son neutrales.

Incluso la propia Ordenanza sobre el orden público es problemática. El LegCo provisional aprobó precipitadamente esa ordenanza en Shenzhen, China, durante el periodo de transición que siguió a la transferencia de soberanía. Ese proceso legislativo fue chapucero, opaco y no hubo consulta pública. Lamentablemente, en la actualidad los jueces aplican e interpretan esa ordenanza como si fuera una ley rotunda e irrefutable como cualquier otra. No tienen en cuenta su problemática génesis ni su falta de legitimidad.

La reunión no autorizada no es el único delito recogido en la Ordenanza sobre orden público con el que el Gobierno ha culpado a los manifestantes. La alteración del orden público es otra de las flechas en el carcaj de la ordenanza y acarrea penas más severas. Un ejemplo:

se acusó de alteración del orden público a docenas de los manifestantes que participaron en los disturbios civiles sucedidos en la celebración del Nuevo Año chino en Mongkok en 2016. A varios de ellos, como a Edward Leung, fundador de Hong Kong Indigenous[5], se les impusieron condenas de seis años.

Además de los jueces con exceso de celo y la legislación deficiente, los activistas tienen que vérselas con el Departamento de Justicia —financiado nada menos que por los contribuyentes—, que prácticamente cuenta con recursos ilimitados para enjuiciar de forma selectiva a personas consideradas como una espina clavada en el Gobierno. El departamento recurre decisiones judiciales y sentencias que no son de su agrado y no se detiene hasta que consigue el resultado que anhela. Por el contrario, pocos demandados tienen suficientes recursos financieros para luchar contra el Gobierno en el proceso de apelación y muchos se dan por vencidos y abandonan.

Las élites empresariales locales se apresuran a defender el deteriorado estado de derecho de la ciudad. Presentan la independencia del poder judicial como la «base de la prosperidad de Hong Kong» y hacen la vista gorda ante la realidad de que el sistema de justicia penal se utiliza cada vez más como una herramienta política

---

5. Grupo localista fundado en 2015. Hong Kong Indigenous, más radical que Demosistō, defiende un enfoque militante de la desobediencia civil. Sus objetivos políticos incluyen la secesión de la China continental.

para silenciar la disidencia. Miran hacia otro lado cuando se envía a la cárcel a un activista tras otro, mientras los jueces dictan sentencias cada vez más severas.

Para proseguir la lucha por la democracia total, los hongkoneses deben darse cuenta de que ni el estado de derecho ni la independencia del poder judicial son suficientes para salvaguardar nuestros derechos fundamentales. El primer paso que hay que dar para hacer frente a un problema es admitir que existe: nuestro Gobierno ha convertido los tribunales en un campo de batalla desigual.

2. Unir a la oposición

El que luchemos en el mismo bando no implica que estemos de acuerdo en todo. De hecho, muchas personas de la facción prodemócrata moderada dudan del enfoque que adoptan grupos más radicales, como los Trece de los NNT, que asaltaron una reunión del comité del LegCo y se enfrentaron violentamente a la policía.

Del mismo modo, los grupos localistas están cansados de las manifestaciones masivas y los eslóganes. Culpan a los moderados de la falta de progreso después de décadas de campañas no violentas. Todo esto solo depara constantes discusiones y acusaciones en el seno de la oposición, de las que se benefician las autoridades y les facilitan dividirnos y vencernos.

Pese a las diferencias tácticas, estamos motivados por las mismas exigencias prodemócratas. Docenas de activistas de todo el espectro político han acabado en la cárcel y muchos más lo harán en los próximos meses. Deberíamos honrarlos dejando a un lado nuestras diferencias y continuando donde ellos se vieron obligados a dejarlo.

3. Defender nuestra posición en el LegCo

Además de seguir nuestra lucha en las calles, también tenemos que hacernos oír en el ámbito legislativo. El primer paso para defender nuestra posición en el LegCo es ocupar los escaños que dejaron vacantes los seis diputados de la oposición inhabilitados.

Cada vez parece más probable que se prohíba presentarse a las elecciones parciales a los candidatos localistas (como los de Hong Kong Indigenous) y los que abogan por la autodeterminación (como los de Demosistō). A principios de año, se negó a Edward Leung el derecho a presentarse, a pesar de haber firmado un juramento de lealtad a la Ley Básica.

Aun así, abandonar no es una alternativa. Por el ejemplo que nos han dado los movimientos prodemócratas en Taiwán y Singapur, sabemos que renunciar a la Asamblea Legislativa solo empeorará la situación, sobre todo porque de esa forma se permitirá que el Gobierno apruebe leyes deficientes impunemente. Por desigual que sea el terreno de juego, LegCo, como la mayoría de las asambleas legislativas del mundo, sigue siendo un importante sistema de frenos y contrapesos a los que están en el poder.

Y en cuanto a quién debería nombrarse para ocupar

esos seis escaños vacantes, propongo dos sencillos criterios de selección. Primero: los candidatos han de gozar de un amplio apoyo por parte de la oposición y representar apropiadamente las plataformas políticas de los diputados que van a reemplazar. Segundo: deben tener el carisma suficiente como para articular nuestras exigencias políticas y animar al público a que apoye nuestra causa.

Estas elecciones parciales no son solo un plan de sucesión, son también un poderoso símbolo de resistencia. La presencia de representantes prodemócratas en la Asamblea Legislativa enviará un contundente mensaje a la élite en el poder: se reemplazará a todos los diputados que expulsaron con alguien muy semejante.

No pueden inhabilitarnos a todos.

4. Confiar en las protestas no violentas

Desde el fin de la Revolución de los Paraguas en 2014 sin haber conseguido ninguna ganancia política tangible, a la sociedad civil le ha costado superar lo que percibió como un fracaso. Los jóvenes que participaron en la campaña experimentaron una profunda sensación de impotencia y un gran desgaste por las protestas. Muchos empezaron a rechazar las acciones no violentas como medio para alcanzar nuestros fines.

Al mismo tiempo, el peso de la ley está aplastando a los activistas que abogaban por formas de resistencia más radicales. Lo que le ha sucedido a personas como Edward Leung ha conseguido que los jóvenes se lo piensen dos veces antes de lanzar un ladrillo a la policía.

El movimiento prodemócrata parece haberse estancado. Ni las tácticas pacíficas ni las agresivas nos han llevado donde queríamos llegar. Todas las acciones que hemos puesto en práctica hasta ahora han hecho poco para que ceda el Gobierno o Pekín.

¿Y no es esa razón suficiente para que la facción no violenta y los grupos localistas unan sus fuerzas? De ahora en adelante, hagamos que todas las manifestaciones sean un llamamiento para apoyar a los que están en la cárcel o a punto de entrar en ella, de defensores de la no violencia como el profesor Tai a localistas que abogan por utilizar los medios que sean necesarios como Edward Leung. Los activistas de todas las tendencias tienen motivos para tomar las calles, si no para exigir el sufragio universal, sí para expresar su indignación por la prisión política, una bestia que no conoce fronteras ideológicas.

5. Relevar a los encarcelados

Muchos simpatizantes me han preguntado qué pueden hacer, aparte de escribir cartas y compartir noticias en las redes sociales, para ayudar a los activistas que están entre rejas. Siempre les contesto lo mismo: donad tiempo.

Además de Alex, Nathan y yo, los llamados Trece de los NNT están cumpliendo condena. Los medios de comunicación nos llaman «trece más tres». Para mostrar vuestra solidaridad con nosotros, os animo a colaborar como voluntarios dieciséis horas al mes —una hora por cada activista encarcelado— para hacer el tipo de trabajo comunitario que más os interese.

Estas son algunas ideas de lo que puede hacerse en esas dieciséis horas: repartir folletos políticos en la calle, atender un puesto callejero en una manifestación en domingo, compartir opiniones en foros comunitarios y decir a vuestros amigos y a vuestra familia que se inscriban en el censo electoral. Incluso se puede entrar a formar parte de la campaña electoral de un candidato prodemócrata.

El éxito de todo movimiento político depende de los esfuerzos de sus bases a nivel vecinal. Esos esfuerzos comienzan con vosotros. En cuanto salga de la cárcel y vuelva a la calle, espero veros trabajando para lograr el cambio, detrás de un megáfono o al frente de una multitud.

6. Estar preparados para ofrecerse

A finales de la década de 1970, el movimiento prodemócrata en Taiwán sufrió un revés sangriento y trágico. La brutal represión de los manifestantes a manos del régimen autocrático culminó en el llamado «Incidente de Formosa»: se declaró la ley marcial, se detuvo, torturó y ejecutó a los líderes de las protestas y se llevó a juicio y se impuso duras condenas a muchos participantes.

Hong Kong se ha librado del derramamiento de sangre que experimentaron Taiwán y sus países vecinos, al menos por ahora. Pero el precio que hemos de pagar por exigir el cambio político aumentará. Antes de que se nos enviara a la cárcel a los dieciséis, todos luchábamos suponiendo que la pena por participar en una reunión no autorizada solo acarrearía una condena de servicios comunitarios. Ved que rápido han desmentido esa suposición.

En Taiwán, tras el Incidente de Formosa se encarceló a un gran número de activistas y se les impidió participar en actividades políticas. Como respuesta, se pidió a sus esposas, a sus amigos e incluso a sus abogados defensores que se presentaran a las elecciones en su lugar.

En un futuro inmediato, es posible que los activistas de Hong Kong sufran el mismo destino. Dentro de poco, también os pueden pedir a vosotros que os presentéis en lugar de alguien. Cuando llegue ese día, espero que estéis preparados.

¡A formar! Ha llegado el oficial en jefe

高層殺到，立正站好

Día 11. Domingo, 27 de agosto de 2017 (2.ª parte)

Al igual que todos los días desde que llegué, he pasado gran parte de la jornada barriendo los ciento ochenta metros cuadrados del comedor con un grupo de reclusos. Lo limpiamos después de cada desayuno, almuerzo y cena.

La mayoría de los veinteañeros de Hong Kong vive con sus padres y muchos hogares de clase media tienen una criada que vive en la casa. Mi familia no es una excepción. No había limpiado tanto en mi vida y creo que es bueno para mi carácter.

Un funcionario superior de prisiones recorre las instalaciones dos veces al día para asegurarse de que todo está en perfectas condiciones. Todos los reclusos han de ponerse en fila, sacar pecho, levantar los puños y mirar, no hacia delante, sino a unos cuarenta y cinco grados hacia arriba. No le veo sentido a este último requisito. Siempre había asumido que se debería mirar a los ojos de un superior cuando se está frente a él, pero, al parecer, estaba equivocado. «Cuando se mira hacia arriba da la impresión de que se está lleno de esperanza», me explicó uno de los guardias.

Mientras estamos formados, el funcionario grita: «Esto es una inspección. ¿Alguna petición o queja?». Por supuesto, nadie se atreve a decir nada, excepto: «¡Buenos días, señor!». Después, el funcionario responde: «Buenos días». Finalmente le expresamos nuestra gratitud diciéndole: «¡Gracias, señor!».

Las personas que están fuera de la cárcel, como mis amigos y compañeros de clase, siempre me llaman por mi nombre chino completo: Wong Chi-fung. En Hong Kong es normal utilizar esa fórmula entre amigos y conocidos, y no se considera excesivamente formal. Sin embargo, en la cárcel, como muestra de familiaridad, el personal y los presos han acortado mi nombre a «Fung Jai» (pequeño Fung), «Fung Gor» (hermano Fung) o «Ah Fung» (Fungito).

Todo el mundo en Pik Uk sabe quién soy. A los reclusos les gusta hablar conmigo y discutir los derechos de los presos. Todos creen que puedo utilizar mi «poder de estrella» para hacerles la vida más fácil. Cuando hemos acabado nuestras tareas esta tarde, unos cuantos nos hemos juntado para quejarnos de algunas de las formas en que se dirigen las cárceles en Hong Kong.

Una de las mayores protestas es lo restrictiva que es la «lista». Los Servicios Penitenciarios permiten que los amigos y familiares que vienen de visita traigan artículos del exterior, pero solo si están en la lista, que incluye objetos básicos como bolígrafos, libretas, cuchillas y toallas. Pero no incluye objetos básicos de higiene personal como polvos de talco o loción corporal.

El adolescente que estaba sentado frente a mí en el comedor ha hecho una petición más específica. Se ha quejado de que Pik Uk no permite tener «álbumes de fotos» (libros de fotos de mujeres desnudas o semidesnudas), a pesar de que están permitidos en otras instalaciones juveniles. «Tenemos que luchar por la igualdad en las cárceles —ha bromeado—. Pero ahora en serio —ha continuado—. Me dieron una buena paliza en el coche de policía después de detenerme. ¿Puedes presionar para que instalen cámaras en los vehículos policiales?»

Adolescente contra la sociedad

少年倉裡的

Día 14. Miércoles, 30 de agosto de 2017

Hoy he recibido otra gran remesa de cartas. Algunas eran de miembros de Demosistō y otras de simpatizantes de Hong Kong y del extranjero. Aparte de las visitas de mis padres y amigos, la llegada de cartas es la parte más emocionante del día.

Una de ellas era de un hongkonés que vive en Canadá. Me acordé de un viaje que hice hace poco a Toronto con el activista veterano Martin Lee, el llamado «padre de la democracia» y presidente fundador de Demócratas Unidos de Hong Kong y del Partido Democrático, y Mak Yin-ting, antigua presidenta de la Asociación de Periodistas de Hong Kong.

Tengo la impresión de que ha pasado una eternidad desde que era libre para viajar por el mundo y contar nuestra historia a parlamentarios y universitarios. Esos tiempos no podrían ser más diferentes a mi vida en la cárcel.

He pasado todos los días de las dos últimas semanas con el mismo grupo de presos. Somos unos treinta y seis, más o menos los mismos que hay en una clase en un instituto local de secundaria. Al principio era muy cauteloso con ellos, en parte porque algunos son pandilleros llenos de tatuajes (el tipo de jóvenes al que tus padres te aconsejan no acercarte) y también porque la mayoría está aquí por tráfico de drogas, robos, agresiones y otros delitos serios. Pero en cuanto los conocí, me parecieron sinceros y fáciles de tratar. Me doy cuenta de que juzgarlos por su aspecto y antecedentes fue una equivocación.

Todos parecen tener algo en común: les encanta fanfarronear sobre su pasado. Mantienen interminables rivalidades sobre quién controlaba más camellos en su banda, lo grande que era su territorio, lo ferozmente que lo defendían y ampliaban, y cosas así. A veces las batallitas son tan desmesuradas e inverosímiles que pongo los ojos en blanco y desconecto.

Pero intento entender por qué se metieron en una banda. A menudo tienen historiales muy parecidos: no se llevaban bien con la familia, abandonaron el colegio en tercero de secundaria (décimo curso) y se juntaron con «malas compañías». Oírles hablar ha sido revelador y me ha dado una lección de humildad. Ha cambiado por completo mi opinión sobre los jóvenes delincuentes, a los que los medios de comunicación de masas retratan con demasiada frecuencia como agresivos y peligrosos. En realidad, son chicos como yo. Pasan los días como cualquier otro adolescente, hojeando revistas y enfrascados en libros. Muchos de ellos son seguidores leales de Roy Kwong, un destacado activista, diputado y escritor de novelas románticas superventas apodado «Dios Kwong». Cuando los reclusos se enteraron de que Nathan y yo colaboramos estrechamente con Roy, todos querían saber cómo se le ocurrían historias de amor tan desgarradoras. Creo que sería mejor que «Dios» respondiera ese tipo de preguntas.

Por mucho que me caiga bien Roy y respete su trabajo, prefiero el manga japonés y los videojuegos. Son mis placeres inconfesables. Los reclusos se sorprendieron cuando les pedí que me prestaran *One-Punch Man*, un cómic japonés muy popular. También les hablé de mi obsesión por *Gundam*, una serie japonesa intemporal de anime y la respuesta nacional a *Star Trek*. Entonces me tocó fanfarronear a mí, les dije que acababa de comprarme la nueva consola PS4 y que estaba esperándome en casa para jugar con ella.

En ocasiones nuestras conversaciones se ponen serias y todos se quejan del sistema local de educación. Uno de los presos dijo: «A los que les va bien en el colegio no acaban aquí. Y a los que acaban aquí nunca les ha ido bien en el colegio. Nadie elige estar en el segundo grupo. Los dos grupos nunca se mezclan, es como si viviéramos en planetas diferentes».

Aquellas palabras me hicieron pensar. El sistema local de educación es tristemente competitivo y está obsesionado con las buenas notas. A muchos niños se les expulsa y deja atrás, y en cuanto están fuera del sistema nadie se preocupa por introducirlos de nuevo. Se convierten en otra estadística para el Gobierno y en historias alarmantes para los medios de comunicación, que publican titulares sensacionalistas como: «Adolescentes detenidos en una importante redada antidroga» o «Banda de jóvenes arrestada en un local de juego subterráneo». Cuando leemos esos titulares en los periódicos, la mayoría de nosotros meneamos la cabeza y pasamos página. No esperamos volver a saber nada de esos jóvenes. Pero ¿adónde han ido y adónde pueden ir?

El año pasado Netflix estrenó *Adolescente vs. superpotencia*. Pero en las calles de Hong Kong todos los días se desarrolla la historia «Adolescente contra sociedad» y nadie se inmuta.

Mi primera revista

落場步操

Día 15. Jueves, 31 de agosto de 2017

Hoy he participado en mi primera y temida revista. Soy un escuálido cerebrito de Hong Kong. Paso la mayor parte del tiempo con videojuegos y viendo anime japonés. No salgo mucho y nunca he sido atlético o especialmente bueno en coordinación. Suerte tendré de pasar la revista sin ponerme en ridículo o hacerme daño.

Aunque, en general, creo que lo he hecho bien esta mañana. Aparte de las veces que me he vuelto hacia la izquierda cuando debería haberme vuelto hacia la derecha, me he defendido bien. Quizá dentro de unos años, cuando recuerde el tiempo que pasé en Pik Uk echaré de menos esas revistas. Pero, de momento, mi estrategia consiste en colocarme en segunda fila, en la que las equivocaciones pasan más inadvertidas al sargento de instrucción (de hecho, todos los reclusos corren al patio principal cuando hay que pasar revista para intentar colocarse en segunda fila).

Ha sido un buen comienzo para un día completo. He tenido varias visitas. Los diputados Charles Mok y Alvin Yeung han pasado a verme antes de que el representante de la asistencia judicial gratuita viniera con más papeleo para que lo revisara y firmara. Después han llegado mis padres, luego Lester Shum y el diputado Eddie Chu.

Antes de irse, Eddie me ha mirado a los ojos y me ha dicho: «Chi-fung, no pienses que estás en la cárcel. Piensa fuera de estos muros». Sé perfectamente a qué se refería. Quería recordarme que soy un preso de conciencia y que, aunque esté al otro lado de la gruesa mampara de cristal, hay muchas formas de lograr el cambio en el mundo exterior.

Las palabras de Eddie me han animado y me han motivado a pensar más allá de Pik Uk. Al fin y al cabo, vivimos en los tiempos de las redes sociales y de la difusión instantánea de la información. Cualquier mensaje que quiera enviar al público puedo contárselo a alguna de mis visitas y pedirle que lo comparta en Facebook y Twitter de mi parte.

Hablando de Facebook, he recibido una carta de Demosistō en la que me informaban de algo más que las habituales divagaciones sobre los asuntos del partido. Contenía capturas de pantalla de entradas en Facebook que amigos y compañeros habían compartido en mi muro. Me ha parecido surrealista consultar las redes sociales en papel, en vez de en un móvil. Pero ha funcionado y ha aliviado mi síndrome de abstinencia de Facebook, aunque sea temporalmente.

Cambiando de tema, en las cárceles juveniles no falta la propaganda. Todas las aulas, salas de ordenadores y zonas comunes están llenas de carteles con eslóganes como: «El saber cambia tu destino» o «Refórmate para un futuro mejor». Todos los carteles de la cárcel tienen los mismos adornos de mariposas. Le he preguntado a un guardia qué significaban y, sonriendo orgulloso, me ha informado de que las mariposas representan la transformación. Me ha explicado que los jóvenes delincuentes son como orugas que se metamorfosean en bonitas mariposas al final de su condena, pero solo si quieren rehabilitarse. Si siguen el programa de los Servicios Penitenciarios, extenderán las alas y echarán a volar en cuanto se reintegren en la sociedad.

Me pregunto cuántos reclusos habrán entendido esa metáfora.

Cartas escritas con el corazón

有信有心

Día 16. Viernes, 1 de septiembre de 2017

Hoy he recibido cuarenta cartas, un nuevo récord. Son de personas de todas las clases sociales, incluidos profesores y estudiantes, un periodista del *Wall Street Journal*, un expatriado hongkonés que vive en Australia y una madre joven que dio a luz a su hijo en el peor momento de las protestas masivas. Lo llama «niño de los paraguas».

Me gusta leer las anécdotas personales que los simpatizantes comparten conmigo. Una madre me cuenta que ha pedido a su hijo que haga un dibujo de *Transformers* para animarme, solo que ha confundido *Transformers* con *Gundam*, el anime que más me gusta. Un padre decidió ir por primera vez con los cinco miembros de su familia a una concentración y se dio cuenta de lo abarrotada que estaba la estación de metro ese día. Un autoproclamado «ciudadano de clase media políticamente apático» confiesa que creía que TVB News era la autoridad absoluta en cuanto a la información de noticias, hasta que la Revolución de los Paraguas le indujo a ser más crítico y ver con reservas a los medios de comunicación locales de tendencia mayoritaria. Uno de mis seguidores en Facebook me anima a aferrarme a mi imaginario «emblema del valor» (un amuleto del anime *Digimon*) y un atento simpatizante me envía una copia de la carta abierta que escribió mi madre a la jefa ejecutiva Carrie Lam, que publicó en el portal de noticias en línea *HK01*, en la que le pedía a Lam que escuchara a los jóvenes en vez de intentar silenciarlos utilizando el sistema de justicia penal.

Estas cartas son la prueba del mayor logro de la Revolución de los Paraguas: la concienciación política. A pesar de que se ha abusado de esa frase hasta el punto de que ha perdido gran parte de su significado, nadie puede negar o cuestionar el hecho de que esa campaña ha sacado a toda una generación de hongkoneses de su coma existencial y su apatía política. De no haber sido por esos setenta y nueve días de protestas masivas en 2014, nadie se habría preocupado de escribir una carta a un joven de veinte años que está en la cárcel. Las muestras de apoyo que hemos recibido el resto de activistas encarcelados y yo es la prueba de que se ha plantado una semilla en la mente de todos los hongkoneses que aman la libertad y que está lista para germinar en cuanto las condiciones sean propicias.

Estas cartas también responden a la recurrente pregunta que tantas veces me han formulado: tras todo lo que padecieron los hongkoneses en 2014 y dado lo impotente y desesperado que se siente todo el mundo, ¿cómo tengo planeado yo, un líder activista, animar a los ciudadanos para que luchen a mi lado?

Esta es mi respuesta: la única forma de alentar a la sociedad es hacer sacrificios y obrar de acuerdo con las convicciones de cada uno. Cargar con la cruz de estar encarcelado, tal como han hecho los «trece más tres» activistas, es la mejor forma de probar nuestro compromiso con Hong Kong y demuestra que no solo somos eslóganes y retórica. Las cartas sinceras que siguen llegando evidencian que nuestros esfuerzos no han pasado inadvertidos.

Contando los días

数數日子

Día 18. Domingo, 3 de septiembre de 2017 (1.ª parte)

Los domingos no hay clases ni tareas que hacer. Es el único día de la semana que se permite que los reclusos lleven sandalias abiertas. Para mí, esas sandalias de goma han acabado por simbolizar el ocio.

Esta mañana nos han concedido dos horas de tiempo libre para hacer lo que quisiéramos en el comedor. Por la tarde nos han dado más horas para ir al aula. La mayoría de reclusos ve la televisión, que es prácticamente el único entretenimiento en una cárcel juvenil. Algunos se han puesto a leer un periódico o un libro poco entusiasmados.

En una pausada conversación, uno de los presos me ha dicho que, si el día de la excarcelación cae en domingo o en fiesta nacional, te dejan en libertad el día anterior. Ese cotilleo carcelario me ha incitado a comprobar la placa de identificación que llevo al cuello, en la que está apuntado el día que saldré de aquí. La fecha prevista para que me dejen libre —el 17 de diciembre, siempre que muestre buen comportamiento— cae en domingo. Saber que voy a estar un día menos me ha enviado directamente al séptimo cielo. Pero apenas había dejado de sonreír cuando he caído en la cuenta de que quizá es demasiado bueno para ser verdad. El otro desacato al que me enfrento seguramente retrasará semanas el día de mi liberación, si no meses.

La audiencia por desacato sigue estando programada para mediados de septiembre. Si me declaro culpable (lo que me ha recomendado mi abogado), seguramente me impondrán una pena de tres meses y, si me rebajan una tercera parte por buen comportamiento, el tiempo total será de dos meses. Eso cambia mi fecha de excarcelación al 16 de febrero. He vuelto a comprobar el calendario y, para mi gran alegría, he descubierto que esa fecha es el Año Nuevo chino, día festivo. Así que parece que al final disfrutaré de ese día de descuento.

Pero incluso así, la perspectiva de no poder pasar la víspera del Año Nuevo chino —similar al Día de Acción de Gracias o Navidad en otras partes del mundo— con mi familia ha vuelto a atemperar mi ánimo.

Según el calendario, faltan 166 días para el 16 de febrero. Eso es menos de veinticuatro semanas, seis más en la cárcel juvenil y dieciocho en la de adultos. Medir el tiempo en semanas y dividirlas en dos partes, antes y después de mi vigésimo primer cumpleaños, hace que me sienta mejor.

Hoy no he tenido visitas, con lo que el día se me ha hecho aún más largo. Mi único consuelo ha sido releer la carta que Alex escribió desde la cárcel y se publicó en el *Apple Daily* y la entrega del correo a las cuatro de la tarde.

En esa carta, Alex mostraba el mismo sentimiento que comparten otros activistas que cumplen condena, o que se supone que comparten: que los que están en el poder pueden encarcelar nuestro cuerpo, pero no nuestra mente. He de admitir que es más fácil repetir el mantra de Alex que sentirlo. En lo primero que pienso cuando me despierto es en mis padres y en mis amigos.

Igual de torturante es ver anuncios en la televisión y en los periódicos de comida que no puedo tomar aquí. A veces, lo que sirven en la cárcel es tan insípido que solo puedo comer la mitad y me voy a la cama con hambre. ¡Qué no daría por un trago de café o de Coca-Cola! O un poco de *sushi* o un filete con fideos *wonton*.

Carta abierta a la comunidad internacional

寫給國際社會的信

Día 18. Domingo, 3 de septiembre de 2017 (2.ª parte)

A los amigos en el extranjero que se preocupan por Hong Kong:

Hace un mes que llegué a Pik Uk. A pesar de que estoy entre rejas, son muchas las muestras de apoyo que recibo de la comunidad internacional, en especial la de organizaciones pro derechos humanos de todo el mundo y la de diputados del Reino Unido, Estados Unidos y Alemania. Todos habéis mostrado vuestra preocupación e indignación por la encarcelación de los «trece más tres». Os estaremos eternamente agradecidos.

Hace tres años me uní a miles de ciudadanos valientes en el mayor movimiento político en la historia de Hong Kong, con el sencillo y honrado objetivo de que nuestra ciudad goce de una verdadera democracia. Exigimos poder ejercer el derecho constitucional a elegir nuestro líder en unas elecciones justas y abiertas.

El Gobierno de Hong Kong —designado por Pekín y dirigido por él— no solo no hizo caso a nuestras exigencias, sino que detuvo y acusó de reunión ilegal a muchos de nosotros, incluido yo. Tras un largo juicio, y teniendo en cuenta nuestra motivación desinteresada y los principios de desobediencia civil generalmente aceptados, un tribunal inferior nos condenó a realizar servicios comunitarios.

Entonces, la situación tomó un giro que no presagiaba nada bueno. Un reportaje de investigación de Reuters informó de que nuestro secretario de Justicia, Rimsky Yuen, una persona designada por nuestra jefa ejecutiva no elegida, Carrie Lam, anuló la sentencia de servicios comunitarios recomendada por su Fiscalía y tomó la decisión, políticamente motivada, de recurrir mi sentencia. El recurso se presentó ante un juez del Tribunal Supremo, al que habían fotografiado en actos organizados por organizaciones pro-Pekín. Al final, el juez aumentó mi condena a seis meses en la cárcel, basándose en que ese tribunal debía poner fin a la «tendencia malsana» del activismo político.

Hasta hace poco, la pena por reunión ilegal solo se utilizaba para enjuiciar a los miembros de las bandas locales. Ahora creo que la verdadera «tendencia malsana» es que se utilice una herramienta de lucha contra el crimen organizado para silenciar a los disidentes y sofocar el movimiento prodemócrata en Hong Kong. Hasta hace poco, a las personas que participaban en un acto de desobediencia civil se las condenaba a realizar trabajos en beneficio de la comunidad. Las penas de cárcel recibidas por los «trece más tres» representan otra «tendencia malsana» que ha incrementado enormemente el precio del activismo político en Hong Kong.

Mañana, el profesor Benny Tai, el profesor Chan Kin-man y el reverendo Chu Yiu-ming seguramente irán a la cárcel por participar en Ocupa el centro, la campaña de desobediencia civil que precipitó la Revolución de los Paraguas. Su encarcelamiento es otra prueba de que la libertad de reunión y otros derechos fundamentales se están menoscabando a un ritmo cada vez más rápido en Hong Kong.

En otros tiempos, la referencia a un «preso político» conjuraba imágenes aterradoras de disidentes detenidos en redadas y enviados a cárceles de China continental. Resulta difícil imaginar que ahora los haya en Hong Kong, una de las economías más libres del mundo. Mientras el largo brazo de Pekín llegue a todos los rincones de Hong Kong y amenace nuestras libertades y nuestra forma de vida, el número de presos de conciencia seguirá aumentando. La comunidad internacional ya no puede seguir manteniéndose al margen y fingir que en Hong Kong no pasa nada. Hay que hacer algo.

Por desgracia, pocos gobiernos extranjeros están dispuestos a enfrentarse a la segunda economía más importante del mundo y exigirle responsabilidades. Por ejemplo, me descorazonó el último informe semestral sobre Hong Kong publicado por el secretario británico de Estado para Relaciones Exteriores y de la Mancomunidad, Boris Johnson.[6] A pesar de la persecución política de activistas como yo mismo, el secretario concluyó que el marco «un país, dos sistemas» «funcionaba bien». Como firmante de la declaración conjunta sino-británica, el Reino Unido tiene la obligación moral y legal de defender a sus antiguos súbditos y hablar en su nombre.

Quiero añadir que hay muchas personas y organizaciones en Occidente que han apoyado firmemente el movimiento prodemócrata en Hong Kong. El comentario de Chris Patten de que nuestros nombres harán historia ha sido un gran motivo de aliento para Nathan, para Alex y para mí. Un editor del *New York Times* incluso ha sugerido que deberían proponernos a los tres para el Premio Nobel de la Paz.[7] Sus palabras son una lección de humildad. Lo que debería pasar a la historia es la Revolución de los Paraguas, que despertó a una generación de jóvenes de Hong Kong. Los que merecen el Nobel son todos los hongkoneses que hicieron frente con valentía a un régimen intransigente respaldado por una superpotencia autoritaria.

Comparada con los casi mil cuatrocientos millones de habitantes de China continental —prácticamente una de cada cinco personas de este planeta— la población de siete millones de Hong Kong es infinitesimal.

6. Nombrado primer ministro del Reino Unido en 2019.

7. En febrero de 2018, se propuso a Joshua Wong, Nathan Law y Alex Chow para el Premio Nobel de la Paz. A sus veintiún años, Joshua es el más joven de los tres. Son los primeros hongkoneses propuestos a ese premio.

Pero lo que carecemos en número lo compensamos con determinación y valor. Día tras día, lo que nos guía es nuestra sed de libertad y nuestro sentido del deber para conseguir la democracia para nuestros hijos y nietos. Mientras sigamos ese camino, siempre estaremos en el lado justo de la historia.

Puede que la isla de Hong Kong sea pequeña, pero la determinación de sus habitantes no lo es.

El año pasado por estas fechas estaba contando votos en el LegCo

年前還在立法會點票站

Día 19. Lunes, 4 de septiembre de 2017

Las cartas de hoy han batido otro récord personal, no por la cantidad, sino por el peso. Mi abogado ha hecho una copia impresa de 291 páginas de mi página en Facebook y de la de Demosistō desde mi condena hace dos semanas.

Nunca habría imaginado que disfrutara con una copia impresa de Facebook —casi una contradicción en sí misma—, pero lo he hecho. Ha conseguido que me vuelva a sentir conectado con el mundo exterior. He pensado en pedir copias impresas de Facebook de vez en cuando, pero después he descartado la idea. Para empezar, lleva tiempo (los miembros de Demosistō casi no lo tienen y siempre andan escasos de personal) y, además, imprimir montones de entradas en Facebook requiere cortar muchos árboles. Tendré que esperar a que se presente otra sorpresa esporádica, como la de hoy.

Los guardias revisan todas las cartas que llegan y se envían desde la cárcel, basándose en que los Servicios Penitenciarios necesitan comprobar si hay algún objeto escondido. También buscan mensajes no autorizados, como planes para subvertir la autoridad o conspiraciones entre los reclusos.

Eso sí, a excepción de las que provienen o van dirigidas a una persona que ocupa un cargo público, como un diputado. Si ese es el caso, la carta no se abre y solo la lee el destinatario. Además, se agiliza la entrega, por lo que solo tarda dos días en llegar, en vez de una semana. El remitente ni siquiera tiene que poner sello en el sobre.

Esta situación crea una especie de vacío legal del que me alegra poder aprovecharme. Me ahorra el dinero de los sellos y me proporciona tranquilidad cuando hablo de cuestiones delicadas. Los guardias refunfuñan cada vez que solicito un «envío sellado». Les guste o no, estoy dispuesto a enviar uno, al menos dos veces a la semana.

Todos los envíos sellados van a la oficina de recepción. Para evitar que los reclusos entren drogas u otras substancias ilegales, nos hacen un análisis de orina cada vez que llega o se entrega un envío sellado. La oficina de recepción es un vestuario con pretensiones, en el que se tramita el papeleo y los guardias se sientan para cotillear. Un día, mientras esperaba a que me hicieran un análisis de orina, desvié la vista hacia el calendario que había colgado en la pared. Hacía un año exacto, el 4 de septiembre de 2016, Nathan había hecho historia al convertirse en el diputado más joven de Hong Kong tras conseguir 50.818 votos en el distrito electoral de Isla de Hong Kong. Estábamos todos en la sala de votaciones del edificio del LegCo vitoreando y derramando lágrimas de alegría, mientras una multitud de periodistas extranjeros esperaba fuera impaciente. Ninguno de nosotros habría podido imaginar que meses después de esa histórica victoria Nathan perdería su escaño y los dos estaríamos entre rejas.

No sé si Nathan se habrá acordado del aniversario ni lo que se le estará pasando por la cabeza esta noche.

Cada vez más insípida

重複單調乏味的食物

Día 20. Martes, 5 de septiembre de 2017

Desde que empecé este diario supuse que mis amigos y familiares se interesarían por saber qué tipo de comida tomo en la cárcel, así que me he preocupado por apuntar lo que como cada día para desayunar, almorzar y cenar.

DÍA	DESAYUNO	ALMUERZO	CENA	TENTEMPIÉ NOCTURNO
Lunes	cerdo pepino	gachas dulces pan con mantequilla	alitas de pollo verdura	bollito de pasas leche
Martes	ternera verdura	gachas saladas pan con jamón	pescado, huevo verdura	bollito de pasas leche

DÍA	DESAYUNO	ALMUERZO	CENA	TENTEMPIÉ NOCTURNO
Miércoles	alitas de pollo pepino	gachas dulces pan con mantequilla	pescado verdura	bollito de pasas leche
Jueves	cerdo verdura	gachas saladas pan con jamón	alitas de pollo verdura	bollito de pasas leche
Viernes	ternera pepino	gachas dulces pan con mantequilla	pescado, huevo verdura	bollito de pasas leche
Sábado	alitas de pollo verdura	gachas saladas pan con jamón	pescado verdura	bollito de pasas leche
Domingo	albóndigas de ternera pepino	gachas con tofu pan con mantequilla té con leche	pescado verdura	bollito de pasas leche

Dejé de anotar mi dieta cuando me di cuenta de que el menú se repetía cada dos semanas y nunca cambiaba.

Un discurso maleducado

「不懂大體」的一番話

Día 22. Jueves, 7 de septiembre de 2017

Los titulares de todos los periódicos hablan de la ley sobre el himno nacional propuesta por el Gobierno.

Ayer Pekín hizo público un anteproyecto de ley para penalizar el uso comercial o ridiculizar el himno nacional chino, *La marcha de los voluntarios*. Todo el que «insulte deliberadamente» el himno puede enfrentarse hasta a tres años de cárcel.

Ese proyecto de ley es otra forma de usurpar nuestra libertad de expresión. Al igual que sucedió con la asignatura de Educación Nacional que frustró Escolarismo en 2012, se trata del último intento del Gobierno para legislar el patriotismo. No funcionó en 2012 y no lo hará ahora.

Por desgracia, los diputados leales a Pekín (sobre todo después de la reciente purga de diputados prodemócratas por el Caso del juramento) dominan el Leg-Co y el Gobierno cuenta con votos más que suficientes para aprobar el proyecto en cuanto se acabe el periodo de consulta pública.

Algunos periódicos han informado de que el discurso de una estudiante ha llamado la atención y ha recibido grandes elogios. En la ceremonia inaugural de su instituto de secundaria, Tiffany Tong, la joven de diecisiete años presidenta de la asociación de estudiantes, ha opinado sobre el debate del himno nacional cuando se ha dirigido a los alumnos:

> A menudo se considera descortés e irrespetuosa la forma en que los jóvenes eligen expresar sus quejas sobre el Gobierno, como dar la espalda a la bandera nacional.
>
> Sí, sabemos que la educación es importante —nos lo enseñan todos los días en clase—, pero también sabemos lo importantes que son nuestros principios y creencias.
>
> Para muchos adultos somos maleducados, desobedientes y nada pragmáticos. Pero hacemos lo que se supone que hacen los jóvenes: poner en tela de juicio las ideas imperantes y negarnos a transigir. No cabe duda de que por el camino cometeremos errores y tropezaremos, pero nos levantaremos después de esas equivocaciones y tropiezos siendo más fuertes y mejores personas.

Las palabras de Tiffany son prodigiosas. Resumen a la perfección el sentimiento colectivo de la nueva generación de Hong Kong. Frente a las crecientes injusticias sociales y la intimidación política de la China comunista, los jóvenes se niegan a rendirse y cambiar sus ideales por la facilidad y el pragmatismo. En vez de agacharse y llevar una vida «educada» como la de los adultos, eligen arriesgarlo todo diciendo lo que piensan y resistiendo.

Leerlo me animó mucho. Cuando disolvimos Escolarismo para crear Demosistō, a algunos miembros les preocupó que pudiéramos perder una plataforma importante con la que inspirar a la nueva generación de activistas adolescentes. Tiffany es la prueba de que no teníamos por qué preocuparnos.

El político flexible

靈活的政治家

Día 24. Sábado, 9 de septiembre de 2017

Hoy han venido a verme tres miembros de Demosistō.
Nuestra conversación ha girado sobre las inminentes
elecciones parciales al LegCo. Conforme se acerca la fecha límite para hacer una propuesta, empieza a ser urgente que nos pongamos de acuerdo en quién de nosotros debería presentarse. La respuesta depende de contra
quién nos presentemos.

Nuestra principal oponente es Judy Chan, del Nuevo Partido Popular (NPP), progobierno. Chan estudió en
Australia y trabajó en Estados Unidos antes de regresar
a Hong Kong para entrar en la política. En una entrevista reciente dijo que su marido estaba en contra de que
se presentara al LegCo, no solo porque le preocupaba
el estrés que pudiera causarle la campaña electoral, sino
porque tendría que renunciar a su ciudadanía estadou-

nidense y, con ello, sería más difícil que su hija fuera a una universidad de Estados Unidos en el futuro.

El NPP es un partido de élites empresariales. Sus miembros pertenecen a la clase alta de la sociedad hongkonesa, que intenta quedar bien con el Partido Comunista con una retórica patriótica, al tiempo que conservan su pasaporte extranjero como potencial vía de escape. Poseen propiedades lujosas en el extranjero y envían a sus hijos a universidades occidentales para protegerlos del sistema educativo local. Lo que consigue que el hecho de que Pekín acuse a los líderes de la Revolución de los Paraguas y a los activistas prodemócratas de actuar influidos por «potencias extranjeras» resulte aún más irónico. Los supuestos partidarios del régimen tienen más vínculos con el extranjero que cualquiera de nosotros.

Durante unas elecciones parciales de distrito en 2014, Chan despellejó al concejal saliente del distrito —un político prodemócrata— por abandonar a sus electores para presentarse al LegCo y aseguró a los votantes que se centraría en los asuntos del distrito y que no ambicionaba ser diputada. Ganó las elecciones.

Dos años más tarde, después de que el Caso del juramento le abriera una puerta, Chan no tiene escrúpulos a la hora de faltar a su palabra y presentar su candidatura. ¿Qué pensarán sus electores?

Mi radio fabricada en China

國產收音機

Día 25. Domingo, 10 de septiembre de 2017

Hace dos semanas gasté parte del dinero que tanto me había costado ganar en una radio con receptor de FM.

Ha llegado hoy. Hacía tiempo que quería oír un programa de actualidad con intervención del público en RTHK[8] llamado *Open Line, Open View* y estaba deseando abrir la caja. Creía que sería el mismo modelo de Sony que han comprado otros reclusos rellenando un formulario de pedido, pero ha resultado ser una imitación china (luego me he enterado de que Sony ha dejado de fabricar radios hace relativamente poco tiempo). Si funcionase, no me importaría que fuera una marca china, pero cuando la he encendido dentro de la celda solo he conseguido oír estática. Si la saco fuera de los barro-

8. Emisora pública de la Radiotelevisión de Hong Kong.

tes y la pongo lo más lejos posible, consigo sintonizar algo, pero esa no es forma de oír la radio.

Así que he dejado ese aparato inútil y he abierto el correo. Una de las cartas era de Senia Ng, una joven abogada cuyo padre fue cofundador del Partido Democrático, el partido político más antiguo de Hong Kong. Adjuntaba más de cincuenta páginas de artículos relacionados con el anteproyecto de ley del himno nacional, escritos de Alex desde la prisión e incluso algún sudoku y rompecabezas.

Hablando de pasatiempos, hoy he estado jugando al tenis de mesa con algunos reclusos en la sala común. Lo hemos estado haciendo varias veces a la semana. Soy terrible para los deportes y nunca me gustaron en el colegio, pero he conseguido defenderme con la raqueta. Jamás en mi vida había hecho tanto ejercicio. Seguro que mi madre está muy orgullosa.

¿Cuánto te pagan?

其實你有無錢收？

Día 27. Martes, 12 de septiembre de 2017

Leer consigue que los días pasen más rápidos. Mis padres intentan traerme libros siempre que vienen a verme y mis amigos me envían listas de lecturas.

Acabo de terminar *The Protester*, del disidente de China continental Xu Xhiyuan, y los tres volúmenes de *One Hundred Years of Pursuit: The Story of Taiwan's Democratic Movement*, de Cui-lian Chen, Wu Nai-teh y Hu Hui-ling. Estoy deseando leer *How Do We Change Our Society?*, del sociólogo Eiji Oguma, un libro que me regalaron dos profesores jóvenes japoneses a través de Agnes, que estuvo en Tokio a primeros de año.

La mayoría de los presos lee lo que hay disponible en la biblioteca: revistas sensacionalistas, novelas románticas y cómics. Procuro no dejarme ver con mis serios y densos libros de no ficción. Si no incitaran en mí el deseo de poder comer cosas ricas, me encantaría hojear los libros de cocina. El manga japonés *One-Punch Man* me resulta muy útil como placer inconfesable, a la vez que me ayuda a armonizar con los demás presos.

Durante los últimos cinco años solo me he relacionado en círculos de políticos y activistas. A veces vivimos en una burbuja y decimos y hacemos cosas que consiguen dar la impresión de que estamos desconectados de los ciudadanos de a pie. Estoy haciendo un esfuerzo por conectar con mis compañeros reclusos. Oírles quejarse sobre lo que han pasado en esta vida ha ampliado mi horizonte y me ha devuelto a la tierra.

Más de un preso me ha preguntado: «¿Cuánto te pagan por hacer tus historias políticas?». Al principio pensé que querían provocarme, acusándome de recibir dinero de gobiernos extranjeros, pero poco a poco me he dado cuenta de que la pregunta es sincera. La mayoría de personas no entiende por qué alguien en sus cabales se arriesgaría a ir a la cárcel, si no fuera por dinero. Así que me limito a sonreír y digo: «¡Ojalá me pagaran!». Pero nadie me cree. He pensado en decir que soy como cualquier persona que ofrece su tiempo voluntariamente para ayudar a los demás, sin esperar nada a cambio. Lo que realmente quería decirles, pero no lo he hecho por miedo a parecer un creído, es que mi único propósito cuando entré en la política era lograr el cambio. Me dedico a la política para poder decir algún día a mis hijos y nietos que di algo por la ciudad que aman. Eso valdrá más que todo el dinero del mundo.

Enemigos del aburrimiento

解悶工廠

Día 28. Miércoles, 13 de septiembre de 2017

FronTiers es un grupo de trabajadores sociales, abogados y periodistas que se formó para apoyar a los activistas necesitados. Pusieron en marcha una campaña para enviar cartas llamada «Enemigos del aburrimiento», a la que se unió el diputado Eddie Chu, y se dedicaron a recoger cartas y material de lectura para ayudar a los «trece más tres» a luchar contra el mayor enemigo en la cárcel: el tiempo.

Hoy he recibido mi primer paquete de FronTiers, un documento con recortes de periódicos y artículos en línea impresos. A pesar de que me he acostumbrado a leer el *Apple Daily* por la mañana, algunos de los mejores análisis y reportajes políticos solo están disponibles en medios de comunicación independientes en línea, que cubren noticias aisladas, pero importantes, que los periódicos de gran formato no suelen tener en cuenta.

Leer un montón de artículos de Internet impresos quizá no es lo que uno se imagina como la mejor forma de pasarlo bien, pero ahí estaba, pasando páginas en el comedor y sintiendo el cariño de los voluntarios de Enemigos del aburrimiento, que habían dedicado parte de su tiempo para que mi condena en la cárcel pasara un poco más rápida.

He leído en los recortes de periódicos que el recurso de mi sentencia es de dominio público. Algunos artículos mencionan que quizá salga bajo fianza a primeros de octubre. Lo que no comentan es la probabilidad de que eso ocurra. Hasta ahora mis abogados han intentado calcular mis posibles expectativas. Creen que tengo un cincuenta por ciento de probabilidades de que me pongan en libertad bajo fianza en octubre. De momento, continuaré siendo lo que los políticos llaman «moderadamente optimista».

¿Ves esos rascacielos?

你看那到些高樓嗎？

Día 30. Viernes, 15 de septiembre de 2017

Hoy he recibido otra profusa entrega de correo. Me he fijado en que la mayoría de las cartas están fechadas hace más de una semana y no sé por qué el correo tarda cada vez más en llegar. No creo que sepa nunca la razón.

Dos de las noticias que he leído esta mañana han estado dándome vueltas en la cabeza todo el día.

La primera es un artículo de Vivian Tam, periodista del *Initium*. La conozco desde la campaña contra la Educación Nacional de 2012. Cinco años más tarde, su pluma está más afilada que nunca. En el artículo para ese medio de comunicación digital, «Salvaguardar la verdad y proteger la historia», traza la evolución de los movimientos prodemócratas en Hong Kong y compara la Revolución de los Paraguas con otros sucesos transformadores en

Asia, como la masacre de Taiwán[9] y el levantamiento de Gwangju en Corea del Sur.[10] Ambos fueron sublevaciones populares sangrientas que finalmente propiciaron la democratización de esos países.

A pesar de la proximidad geográfica con Taiwán y Corea del Sur, y del hecho de que sean dos de los destinos turísticos más populares para los hongkoneses, la mayoría sabemos muy poco sobre su historia y cómo llegaron a convertirse en la moderna democracia que son. Confieso que no estoy tan versado en su historia como debería y voy a pedir a mi familia que me traiga algún libro sobre esos países.

El otro artículo que me ha hecho pensar ha sido el de una nueva columnista, que firma con el seudónimo Ha Mook Mook. En su reseña «Perdonadme por irme de Hong Kong», recuerda la primera noche de la Revolución de los Paraguas y describe las sensaciones contradictorias que experimentó al ver autopistas enteras ocupadas por manifestantes prodemócratas.

9. Levantamiento antigubernamental en 1947 violentamente reprimido por el Ejército Nacional Revolucionario de Taiwán en nombre del Gobierno. Se asesinó a miles de personas y muchas otras resultaron heridas y encarceladas. Aquel suceso marcó el comienzo del Terror Blanco, un periodo de treinta y ocho años de ley marcial en el que miles de taiwaneses desaparecieron, murieron y fueron encarcelados.

10. Sublevación popular en Corea del Sur ocurrida en mayo de 1980 como respuesta a la violenta represión de los estudiantes que se manifestaban contra la ley marcial. Murieron más de seiscientas personas, la mayoría estudiantes.

Sé que Hong Kong no es perfecto. Tiene su buena parte de injusticias sociales y enfermedades urbanas. A veces, simplemente llegar al final del día puede ser duro. Pero por mucho que me pierda en las vertiginosas calles y los altísimos rascacielos, su belleza nunca deja de asombrarme.

Mire donde mire esta noche, solo veo valor, imaginación y esperanza, algo que no había visto en las dos décadas que llevo viviendo aquí. Hong Kong, eres hermosa.

No te mentiré, me preocupa que tu belleza quizá no dure. Tengo que darme prisa y capturar estas imágenes, antes de que limpien el colorido muro, desmonten las tiendas, regrese el tráfico y las personas desaparezcan. Antes de que los desconocidos ya no se saluden en la calle.

En un tramo de la autopista un hombre me dice: «¿Ves los rascacielos? Eso no es el Hong Kong de verdad. ¿Ves a la gente ahí abajo? Ese es el verdadero Hong Kong».

Abuso de los presos

囚犯被打

Día 32. Domingo, 17 de septiembre de 2017

Los domingos no suele pasar nada. Dedicamos gran parte del día a estar sentados y hablar, o a «soplar agua», como decimos en cantonés. Normalmente no tenemos un tema en concreto, aunque he intentado dirigir la conversación hacia el abuso de presos, para poder comunicar a Botella cualquier información útil. Se lo prometí y cumpliré mi palabra. Es una cuestión delicada y los guardias no han tardado mucho en darse cuenta de lo que hacíamos —husmean y escuchan nuestras conversaciones—, pero, piensen lo que piensen las autoridades, he decidido hablar de este asunto y no voy a dejar de hacerlo por miedo a las represalias.

A pesar de la negación categórica de la Unidad de Rehabilitación de los Servicios Penitenciarios, el departamento que se ocupa del bienestar de los presos, y de la actitud a la defensiva de prácticamente todas las personas con autoridad en este tema con las que ha hablado Botella, la violencia carcelaria está tan extendida en Hong Kong que podría llamarse epidemia. Botella también me ha dicho que de los miles de quejas presentadas en la última década, el Servicio de Investigación de Denuncias solo ha aceptado un puñado de ellas. No es de extrañar, dado que el director de ese servicio fue nombrado por el mismísimo director general de Servicios Penitenciarios. En el sistema, se rinden pocas cuentas, si es que se rinde alguna.

Una cosa es tratar el tema del abuso a los presos en abstracto y otra muy distinta oír relatos de violencia física —y en ocasiones sexual— ejercida contra personas que están sentadas frente a mí. Muchas de sus historias son espeluznantes. A unos les han metido mano en la entrepierna, otros han tenido que beber agua mezclada con ceniza de cigarrillos y a algunos les han obligado a golpearse las manos con porras de madera hasta romperse los dedos.

Sé que muchos presos siguen pensando que la política no tiene nada que ver con ellos y viceversa. Por eso les cuesta entender por qué se dedicaría alguien a la política de no ser por un beneficio económico. Cada vez que se menciona el tema, les digo que la política está presente a su alrededor y que afecta a todas las facetas de su vida, desde los impuestos de los cigarrillos hasta la paga mínima que llevarán a casa algún día o el alquiler mensual que consume casi todos los ingresos de sus padres. Ni siquiera tienen que mirar más allá de los muros de la cárcel para ver los efectos. La política es responsable de que se abuse de tantos presos y se exija responsabilidades a tan pocos funcionarios. «¿Seguís pensando que la política no tiene nada que ver con vosotros?», les pregunto.

Política capilar (1.ª parte)

髮政一

Día 33. Lunes, 18 de septiembre de 2017

Además del abuso en las cárceles, rapar el pelo al cero es otra de las injusticias institucionales que me saca de quicio.

En Pik Uk se somete a todos los reclusos jóvenes a un obligatorio afeitado de cabeza cada dos semanas, sin excepción. Hemos de llevar el pelo más corto que la arbitraria longitud máxima de seis milímetros. Dos veces al mes, unos cuarenta de nosotros nos volvemos monjes budistas contra nuestra voluntad.

Eso me recuerda el recurso de inconstitucionalidad que interpuso el diputado Leung Kwok-hung hace tres años. Apodado «Melenas» por su característico pelo hasta los hombros, fue uno de los seis diputados que perdió su escaño en el LegCo debido al Caso del juramento. Antes de que se produjera la Revolución de los Paraguas, se le encarceló por entrar por la fuerza en un acto político. Leung alegó discriminación sexual y demandó al Gobierno por cortarle el pelo en la cárcel, cuando a las reclusas se les permitía llevarlo largo. El tribunal de primera instancia, un tribunal inferior del Tribunal Supremo y por debajo del tribunal de apelación, falló en su favor, pero el caso está pendiente de recurso.[11]

Entiendo que los presos no deberían gozar de los mismos derechos que el resto de los ciudadanos y sé que los reclusos han de llevar el pelo corto por una razón práctica: evitar los piojos. Sin embargo, no hay razón para que Pik Uk imponga una norma tan estricta cuando otras instituciones no lo hacen. No veo qué tipo de amenaza a la seguridad o a la salud puede constituir el que los reclusos lleven el pelo como en los colegios.

Lo que me molesta aún más es lo que ha sucedido cuando he sugerido a la dirección de la cárcel que el asunto debería ponerse en conocimiento del juez de paz que se ocupa de los asuntos de esta cárcel, en su próxima visita. Me han contestado indignados y me han amenazado. El sargento Wong, encargado de mi pabellón, me ha advertido: «Si intentas hablar de este tema, aunque sea con un recluso, puedo acusarte de incitación a alterar el orden de la prisión».

La respuesta de Wong me ha dejado atónito y enfadado. Muestra la absoluta indiferencia de las autorida-

---

11. En enero de 2019, el tribunal de apelación rechazó el recurso de Leung, basándose en que su caso «no tenía relación con cuestiones de relevancia general o pública».

des por el bienestar de los presos. Expresar mi preocupación por el afeitado de cabeza a un juez de paz entra dentro de mis derechos y el motivo de sus visitas es precisamente ese tipo de preocupaciones. Además, si utilizan ese tipo de intimidación con alguien como yo, una figura pública protegida hasta cierto punto por el interés que me prestan los medios de comunicación, no quiero ni imaginarme la que recibirá un preso común sin conexiones políticas. No me extraña que, a pesar de las injusticias, tantos reclusos prefieran mantener la boca cerrada.

Por el lado positivo, hoy he recibido dos docenas de cartas, muchas de ellas de amigos y compañeros extranjeros. Me ha encantado especialmente enterarme de que Anna Cheung, fundadora de New Yorkers Supporting Hong Kong (NY4HK), que ha trabajado incansablemente durante años para ayudar a políticos prodemócratas como Martin Lee y Anson Chan, que creó el grupo Hong Kong 2020 para supervisar el progreso hacia la reforma constitucional en 2020, se ha reunido con políticos influyentes occidentales. Desde la Revolución de los Paraguas, Anna ha desempeñado un papel decisivo en los esfuerzos de Demosistō para recabar apoyo de la comunidad internacional.

También me ha escrito Jobie Yip, una estudiante hongkonesa de la Escuela de Economía de Londres con la que entablé amistad después de dar una charla en la Universidad de Oxford en 2015. Jobie fue una de las estudiantes en el extranjero que protestó frente a la embajada china en Londres durante la Revolución de los

Paraguas y la primera en afiliarse a Demosistō cuando Nathan fue inhabilitado en el LegCo a principios de este año. Si se tiene en cuenta que el Caso del juramento ha excluido de futuras elecciones a cualquiera que esté en el bando de la autodeterminación, fue una decisión valiente. Si tiene alguna ambición política, su afiliación a Demosistō fue un paso que podría poner fin a su carrera política.

Los hongkoneses comprometidos en el extranjero, como Anna y Jobie, son socios esenciales en nuestra lucha por la democracia. A pesar de estar lejos geográficamente, sus corazones están con nosotros y su solidaridad ha sido uno de los principales motores para la sensibilización internacional sobre la situación política en Hong Kong. Además, son la prueba del impacto indeleble de la Revolución de los Paraguas, que se notó no solo en Hong Kong, sino en todas las partes del mundo en las que haya hongkoneses a los que se les pueda ver y escuchar.

Los mensajes de los amigos son una inyección de ánimo, pero el correo de desconocidos a menudo procura un mayor impacto emocional. Hoy he recibido una carta de una chica de catorce años, que me ha descrito con una letra preciosa cómo le han hecho sentir los recientes acontecimientos políticos. No suelo recibir cartas de estudiantes de secundaria (el papel y el bolígrafo parecen anacrónicos en la era de WhatsApp y de Telegram) y se nota que ha dedicado tiempo y esfuerzo a escribir la suya. Siempre es agradable recibir noticias de personas que tienen la misma edad que tenía yo cuando empecé mi camino en el activismo político.

Otra carta muy sentida ha sido la de una joven madre, cuyo último párrafo me ha hecho llorar:

Mi hija apenas tenía un año cuando mi marido y yo la llevamos a una de tus manifestaciones contra la Educación Nacional. Pasamos toda la noche en Admiralty, con la esperanza de que se empapara de la energía que se respiraba en aquella protesta y llegara a ser tan valiente y tozudamente íntegra como tú.

Eso fue hace cinco años y ahora casi tiene seis. Para nuestra sorpresa, recuerda aquella noche en Admiralty como si hubiera estado allí la semana pasada. Cada vez que pasamos en coche por esa zona, indica el tramo de autopista en el que estuvimos sentados durante horas. Siempre que te ve en las noticias, te llama «hermano Admiralty».

La semana pasada le pregunté si quería hacer algo para apoyar al «hermano Admiralty», que está en la cárcel por hacer lo que cree que es justo. Le sugerí que pintara algo, le encanta dibujar. Y aquí te los envío, tres dibujos de la hermana pequeña que no conoces.

Política capilar (2.ª parte)

髮政二

Día 34. Martes, 19 de septiembre de 2017

Hoy he leído en el periódico que el activista de veintiséis años Sulu Sou se ha convertido en el diputado más joven de Macao en las elecciones generales del domingo.

Macao es una antigua colonia portuguesa cuya soberanía, al igual que la de Hong Kong, se transfirió a China y se convirtió en una región administrativa especial antes del cambio de milenio. Conocida por sus casinos, Macao también ha estado luchando por conseguir el voto libre y ha batallado contra los males de la corporatocracia y el amiguismo político. Debido a su reducida población, setecientos mil habitantes (una décima parte que la de Hong Kong), carece de la masa crítica de políticos experimentados para que arraigue un movimiento prodemócrata importante.

Pero en 2014, el mismo año que comenzó en Taiwán la

Revolución de los Girasoles[12] y Hong Kong presenció la Revolución de los Paraguas, los macaenses ejercieron su poder cívico y dijeron «¡Ya basta!» a las injusticias políticas. En mayo de ese año, veinte mil manifestantes tomaron las calles para oponerse a la propuesta gubernamental de enriquecer a las élites gobernantes con generosos planes de jubilación. Finalmente, el Gobierno retiró la controvertida propuesta y aquel suceso se vio como la mayor victoria de la sociedad civil en Macao desde la transferencia de soberanía. Gracias a esa oleada de concienciación política, Sulu consiguió hacerse un nombre y lograr la aceptación general.

Su victoria esta semana en las elecciones nos ha animado enormemente, pero también siento cierta tristeza. Su éxito me recuerda el espectacular ascenso y caída política de Nathan y la forma en que los diputados más jóvenes de Hong Kong ganaron y perdieron su escaño en el LegCo en solo ocho meses.

Mientras tanto, ha habido algunos avances en el frente del afeitado de cabeza. Las autoridades de Pik Uk me han concedido audiencia con los altos directivos esta mañana. En la reunión, han intentado justificar esa práctica por motivos de higiene y salud, como el excesivo sudor en los meses de verano.

Cuando les he presionado sobre el límite de seis mi-

---

12. La ocupación de la Asamblea Legislativa por parte de una coalición de estudiantes que protestaban por la propuesta de un acuerdo bilateral con China (el Acuerdo Comercial de Servicios a través del Estrecho).

límetros, han admitido que no hay reglas rígidas en las directrices por escrito y que esa largura se acordó entre los guardias por una simple cuestión de «eficiencia operativa». Han asegurado que contactarán con otras instalaciones juveniles para establecer cuál es la mejor práctica.

Les he contestado fríamente: «El hecho de que tengan que preguntar en otras cárceles significa que en Pik Uk no hay un requisito específico de extensión, aparte de llevar el pelo corto. En otras palabras, el máximo de seis milímetros es una regla inventada que deberían dejar de imponernos». Se han mirado los unos a los otros y han dado por terminada la reunión.

Pierdo a mi compañero de celda

失去囚友

Día 35. Miércoles, 20 de septiembre de 2017

Cada tres meses o así hay una reorganización de reclusos en Pik Uk y se reasigna a los compañeros de celda. La idea es emparejar a los nuevos con reclusos más experimentados, para que les pongan al corriente, y desarticular cualquier camarilla que se haya formado o separar relaciones potencialmente peligrosas.

En esta ronda de cambios de celda no solo he perdido al compañero con el que me he llevado bien en las últimas cinco semanas, sino que no me han asignado ninguno. Seguramente la dirección de la cárcel considera que soy demasiado agitador como para emparejarme con un recluso nuevo sin que contamine su mente. O es eso, o creen que no soy un buen mentor en lo que se refiere a tareas presidiarias.

Al principio he pensado que tener los seis metros

cuadrados y medio para mí solo sería estupendo, al fin y al cabo en Hong Kong hay que pagar un ojo de la cara para disfrutar de tanto espacio. Pero después de pasar la primera noche solo me he dado cuenta de lo aislado que me siento sin tener a nadie con quien hablar. En las próximas semanas tendré que acostumbrarme a volver a una celda vacía después de cenar: la eterna cuestión de la intimidad o la compañía.

Recuerdo que conocí a Ah Sun hace treinta y cinco días. No teníamos mucho en común y ninguno de los dos estaba demasiado dispuesto a relacionarse con el otro. Me crie en una familia cristiana de clase media y fui a un colegio concertado (colegios privados subvencionados por el Gobierno que se cree que son mejores que los colegios públicos gestionados por el Gobierno). Ah Sun, como la mayoría de reclusos, proviene de una familia desestructurada, abandonó la educación secundaria y entró en una banda. Cuando se sentó en la celda para hablar, no me enteré ni de la mitad de cosas que decía en argot; me escondí en un rincón para leer el periódico.

Pero con el tiempo entendí cada vez más su jerga y empecé a comprenderlo mejor. Aprendí a dejar de utilizar palabras inglesas en mi cantonés, para parecer menos elitista y pomposo. Ahora nos sentamos y hablamos como si perteneciéramos a la misma banda.

Y lo que es más importante, llegué a conocer a Ah Sun y me siento orgulloso de poder decir que es mi amigo.

Interrogatorio de la unidad de seguridad

保安組問話

Día 38. Sábado, 23 de septiembre de 2017

Hoy me he enterado de que las autoridades penitenciarias han interrogado a algunos reclusos con los que
suelo comer. Cuando hemos acabado la revisión física, la
unidad de seguridad se ha llevado a unos doce de ellos
a una habitación. Les han pedido que les dieran detalles
de nuestras conversaciones y les han advertido que, si se
juntan conmigo, pueden enviarlos a confinamiento solitario.

    La unidad de seguridad ha debido de estar revisando
las grabaciones de las cámaras del comedor para identificar a los que querían interrogar. La verdad es que en
pocas ocasiones tratamos temas carcelarios abiertamente, la mayoría de veces hablamos de cosas al azar como
videojuegos, estrategias para los exámenes y opciones
profesionales. Pero la dirección está paranoica con que

mi campaña contra el afeitado de cabeza se descontrole y provoque una rebelión masiva en la cárcel si no la cortan. Este incidente me ha recordado la desagradable conversación que tuve con el sargento Wong hace unos días, en la que me amenazó con acusarme de incitación si involucraba a otros reclusos en mi activismo penitenciario. También evidencia la realidad de vivir bajo vigilancia las veinticuatro horas del día, observado por el Gran Hermano a todas horas y en todas partes.

Como sé que la sala de visitas también está vigilada, no he mencionado nada sobre las amenazas y el interrogatorio a las personas que han venido a verme. En vez de ello, hemos estado hablando de noticias recientes y de estrategias para la campaña de las elecciones parciales.

Solo en la celda, reflexiono sobre lo que ha pasado en Pik Uk esta última semana. Caigo en la cuenta de que mis palabras en defensa de los derechos de los presos quizá hayan puesto en peligro a otros reclusos. Y, generalizando, quizá todos los movimientos políticos que he liderado o en los que he participado en los últimos cinco años hayan tenido el mismo impacto en mis seres queridos. Siempre he funcionado creyendo que estoy preparado para pagar el precio que sea necesario por defender mis ideas, pero ¿me he parado a pensar en mi familia y a tener en cuenta la tremenda presión que mis actos, por muy nobles que me parezcan, les ha causado? ¿Les he pedido su consentimiento o simplemente he dado por sentado que lo entendían?

Hong Kong Connection

看的《鏗鏘集》

Día 40. Lunes, 25 de septiembre de 2017

Hong Kong Connection, uno de los programas sobre temas de actualidad más veteranos de Hong Kong, se emite todos los lunes a las seis de la tarde.

El programa de esta semana trataba de los activistas encarcelados. Me han emocionado las entrevistas a miembros de Demosistō como Derek Lam, Isaac Cheng y Jobie Yip. Los han grabado abriendo cartas de simpatizantes dirigidas a Nathan y a mí. Verlos hablar y seguir trabajando ha conseguido que los eche más de menos.

La mayoría de las escenas transcurrían en nuestra nueva oficina, mucho más pequeña que la que teníamos antes de que Nathan perdiera su escaño. Después del Caso del juramento nos echaron del edificio del LegCo y tuvimos que ingeniárnoslas para encontrar una oficina que pudiéramos pagar.

Hacia el final de los treinta minutos de programa, Derek ha dicho:

> Hace seis años que Chi-fung y yo entramos en política; habíamos pasado de cuarto de secundaria al tercer curso en la universidad. Nos hicimos activistas porque queríamos que Hong Kong fuera un lugar mejor. Pero ¿ha sido así?

Las palabras de Derek resumen la pregunta que muchos activistas temen formular: ¿hemos logrado el cambio?[13] ¿Está cambiando la sociedad a mejor? Y forzando aún más la pregunta de Derek: incluso asumiendo que hayamos logrado el cambio, ¿merece la pena y qué coste personal ha supuesto?

Quizá resulte más fácil para jóvenes como Derek o como yo involucrarse de lleno en el activismo sin pensarlo, seguimos viviendo con nuestros padres y no tenemos cargas financieras ni responsabilidades familiares. ¿Qué podemos perder aparte de la libertad?

Por el contrario, personas como el profesor Tai tienen otro tipo de motivos. Antes de Ocupa el centro lle-

---

13. De hecho, muchos de los compañeros hongkoneses de Joshua se manifestaron contra la aprobación del proyecto de Ley de Extradición que provocó las protestas del verano de 2019, en las que dos millones de personas —un cuarto de la población de Hong Kong— se manifestaron pacíficamente contra esa ley. A consecuencia de esas manifestaciones, y con el mundo pendiente, Carrie Lam se vio obligada a dar marcha atrás y dar por muerto el proyecto de ley el 9 de julio de 2019, y a anunciar su retirada formal el 4 de septiembre de 2019.

vaba una vida estable de clase media, daba clases en una universidad importante y ganaba un sueldo holgado. Ahora, el profesor Tai no solo se enfrenta a una larga condena, sino que puede llegar a perder su puesto en la Universidad de Hong Kong y verse forzado a vender su casa para pagar las crecientes facturas legales. ¿Por qué haría un sacrificio así una persona razonable?

No hay muchas personas en este mundo a las que profese una admiración sin reservas. El profesor Tai es una de ellas.

Lo que la Plaza Cívica significa para mí

公民廣場對我的意義

Día 41. Martes, 26 de septiembre de 2017

Anoche, cuando estaba a punto de acostarme, vi una sombra negra saliendo a toda velocidad de los pies de la cama con el rabillo del ojo. Antes siquiera de poder reaccionar, había desaparecido. Por suerte, la rata gigante —imagino que era eso— no volvió a aparecer y pude dormir bien.

Hoy es 26 de septiembre, solo faltan diecisiete días para mi vigésimo primer cumpleaños. En otras palabras, solo estaré otros dieciséis días en Pik Uk antes de que me trasladen a unas instalaciones para adultos. No diré que el tiempo pasa rápidamente, pero un traslado que divide mi condena de seis meses (cuatro con buen comportamiento), la hace más llevadera.

He de ocuparme de una serie de asuntos antes de irme. Primero, tengo montones y montones de documentos judiciales que revisar y organizar para mi recurso. No quiero llevarme todos esos papeles, ya que ir con bolsas llenas de documentos legales a las nuevas instalaciones atraerá la atención innecesariamente y planteará problemas de intimidad. Dedicaré un poco de tiempo a estudiarlos, antes de dárselos a mis padres para que los guarden.

Después, hay más de doscientas cartas de simpatizantes que he leído, pero no he hecho nada con ellas. Durante la visita de hoy de mis padres, mi madre ha comentado que debería conservarlas e intentar contestarlas todas, aunque sea brevemente. Ha dicho que eso es lo que ha hecho Nathan. No es un mal consejo, sobre todo porque están próximas algunas fiestas, como el Día Nacional y el Festival del Medio Otoño, y tendré mucho tiempo libre.

Desde que me condenaron, mis padres han estado ayudándome en todo: han estado al tanto de mi recurso con los abogados, han solicitado una prórroga en la universidad y se han ocupado de todo tipo de papeleos y recados. Cuando un joven entra en la cárcel se lleva consigo a toda su familia. No sé cómo expresar mi agradecimiento por lo que han hecho mis padres por mí.

Pero parece que les voy a meter en un aprieto una vez más: es posible que en Pik Uk se celebre una jornada de puertas abiertas en la que los padres están invitados a visitar las instalaciones y conocer al personal. Las cárceles juveniles suelen organizar este tipo de actos informativos para «unir a las familias». Los invitados recorren la cárcel y asisten a largas conferencias de miembros de las unidades de rehabilitación y asesoramiento.

La jornada de puertas abiertas culmina con un acto simbólico importante: una ceremonia en la que los reclusos preparan y sirven té a sus padres. Después de este forzado ritual, los reclusos mantienen una conversación sincera con sus padres bajo la atenta mirada de los guardias.

Esas escenas aparecen con frecuencia en programas de la televisión local: un joven vestido con el uniforme de la cárcel se derrumba delante de sus llorosos padres, se arrepiente de su pasado rebelde y promete que, cuando salga, volverán a estar orgullosos de él. El personal de la cárcel verá con orgullo a otra alma reformada gracias a su diligencia y orientación.

Si bien ese modelo de reeducación puede funcionar para algunos reclusos, no creo que pueda aplicarse a los presos políticos, que siempre creen en su causa. Ningún tipo de rehabilitación conseguirá que nos arrepintamos. A pesar de todo, estoy deseando que llegue. Al menos, me brindará la oportunidad de pasar más tiempo con mis padres, sin que haya una gruesa mampara de cristal entre nosotros.

Hoy es el tercer aniversario del asalto a la Plaza Cívica, el suceso que puso en marcha la Revolución de los Paraguas y se convirtió en un punto de inflexión en mi vida. Hace exactamente tres años, el 26 de septiembre de 2014, escalé una valla metálica cercana al edificio del Gobierno y pedí al resto de manifestantes que me siguiera. Una docena de policías se abalanzó sobre mí y me detuvieron. Fue mi primera detención y finalmente acabó convirtiéndose en mi primera sentencia con pena de cárcel.

El propio nombre del lugar —Plaza Cívica— se acuñó durante la campaña contra la Educación Nacional en 2012. Antes, ese anodino espacio público circular se conocía, poco imaginativamente, como jardín del ala oriental de la sede del Gobierno. Lo habían cerrado con una valla metálica y la noche en que me detuvieron intenté recuperarlo. Desde entonces se ha escrito mucha historia en esa plaza y siempre ocupará un lugar especial en mi corazón.

Operación bauhinia negra

黑紫荊行動

Día 42. Miércoles, 27 de septiembre de 2017

Durante la cena casi se me para el corazón cuando he oído las palabras Operación bauhinia negra. No puedo creer que el Departamento de Justicia también vaya a presentar cargos por esa protesta.

La bauhinia dorada fue un regalo del Partido Comunista cuando se devolvió Hong Kong a China en 1997. El 1 de julio, conocido como el Día de la Transferencia, el Gobierno organiza una ceremonia con izamiento de banderas, para conmemorar la «reunificación» de Hong Kong con la patria.

A eso de las seis de la mañana del 26 de junio de 2017, unas siete semanas antes de mi condena, Agnes, unos cuantos activistas y yo subimos al monumento de seis metros de altura y colocamos una tela negra sobre la bauhinia dorada. Habíamos planeado esa acción antes de la mediática visita del presidente Xi Jinping en el vigésimo aniversario de la transferencia de soberanía, para mostrar nuestra oposición a la creciente intervención de Pekín en los asuntos de Hong Kong.

Si el Departamento de Justicia decide acusarnos de allanamiento o de alteración del orden público, será la tercera causa penal a la que me enfrentaré, después del cargo por reunión no autorizada cuando entramos en la Plaza Cívica y del de desacato por violar una orden judicial en Mongkok. También aumentará mi condena y echará por la borda mi calendario.

Ha resultado ser una falsa alarma. Se ha mencionado la bauhinia negra en las noticias porque algunos de los manifestantes arrestados en esa operación habían rechazado la libertad bajo fianza y la policía ha tenido que ponerlos en libertad sin condiciones. Pero todavía no estamos fuera de peligro. El Departamento de Justicia se «reserva el derecho» de presentar cargos contra nosotros en el futuro, tal como hicieron con Alex, con Nathan y conmigo, además de con el trío Ocupa el centro, años antes de que acabaran las protestas.

Lo que hace el Departamento de Justicia está fuera de nuestro control, solo el secretario de Justicia tiene el poder y los recursos para emprender acciones legales contra nosotros. Las autoridades siempre están en el asiento del conductor, mientras que los activistas solo podemos reaccionar contra sus caprichos. Sea lo que sea lo que el futuro me depare, he de mantener la concentración y seguir siendo positivo.

Los libros me han ayudado en ambos propósitos. Acabo de terminar *20th Century Chinese History*, publicado por Oxford University Press, que disecciona la China contemporánea desde la perspectiva macro (basada en la historia) y micro (basada en sucesos). Analiza levantamientos políticos recientes, como la protesta de la plaza de Tiananmén en 1989, desde el punto de vista de un régimen totalitario, sin justificar los actos de China, sino intentando entender sus motivos y su forma de pensar. Si no estuviera en la cárcel, no habría tenido el tiempo o la paciencia de enfrascarme en una obra académica de ese calibre. Tener la posibilidad de leer es uno de los lados buenos que me proporciona cierto consuelo.

Al igual que conocer a una amplia gama de personas encarceladas, como el preso vietnamita que he conocido hoy en el patio. Tiene más o menos mi edad y lo detuvieron a principios de año por tráfico de drogas y entrada ilegal en Hong Kong. Se ha abierto y me ha contado cómo creció en Vietnam y los incidentes que le llevaron a seguir ese camino. Hasta conocerlo a él y a otros reclusos condenados por cargos similares, las drogas ilegales eran algo de lo que solo había oído hablar a través de la agresiva campaña del Gobierno: «¡Mantente firme! ¡Deja las drogas!». Estar aquí ha dado contexto y matices a una cuestión que para la mayoría de las personas no tiene término medio.

A la atención del señor Joshua Wong

寄給：黃之鋒

Día 43. Jueves, 28 de septiembre de 2017

Esta mañana he recibido una carta diferente. Me ha llamado la atención porque estaba dirigida al «señor Joshua Wong» en vez de a mi número de preso. Ha debido de tardar un par de días más en llegar, porque la mitad del personal de la cárcel ni siquiera sabe cómo me llamo.

La habían enviado del Comité de Relaciones Exteriores de Estados Unidos. Era una carta conjunta de cinco senadores demócratas y republicanos que querían expresar su solidaridad con Alex, con Nathan y conmigo, y condenar al Gobierno de Hong Kong por enjuiciar a manifestantes no violentos. Tanto el sello del Senado en la parte superior como las firmas con tinta de la inferior han conseguido que esa cuartilla me pareciera importante.

A pesar de las muestras de apoyo sin precedentes

recibidas por la Revolución de los Paraguas en todo el mundo, el sufragio universal en Hong Kong sigue siendo papel mojado. En el año transcurrido desde el levantamiento, Pekín se ha cerrado en banda y ha retirado el asunto de la mesa de negociaciones. Cada vez que oigo palabras de ánimo de políticos y académicos extranjeros, como la carta de hoy, aumentan las emociones contradictorias que siento. Creo que hemos defraudado a todo el mundo.

Pero, tal como escribió Alex en una carta reciente:

> Si el camino a la democracia no tuviera obstáculos, Hong Kong habría llegado a la meta hace una generación y no te estaría escribiendo desde la cárcel. Es precisamente porque el camino está lleno de obstáculos por lo que hemos tomado el relevo para continuar el viaje inacabado.

Sé que siempre puedo contar con el bueno de Alex para salir de un bloqueo mental.

Joshua y Caleb

約書與亞迦勒

Día 44. Viernes, 29 de septiembre de 2017

Hoy, el día ha pasado muy rápido. Por la mañana he estado en la sala de ordenadores, aprendiendo a utilizar Adobe Illustrator, y por la tarde he tenido visita. Cuando he ido al patio principal a hacer ejercicios era casi hora de cenar.

Mis abogados tenían noticias importantes para mí. Por fin se ha fijado fecha para la audiencia por el caso de desacato en Mongkok, será la segunda semana de octubre. Seguí el consejo de mis abogados de declararme culpable por haber violado una orden judicial y ahora depende del juez decidir cómo y dónde voy a pasar los próximos meses. Si tengo suerte, me concederá una suspensión de la pena o me permitirá cumplir la condena actual y la condena por desacato al mismo tiempo. Intento no pensar demasiado en ello; sé que las falsas esperanzas pueden ser demoledoras.

Entre las cartas que he recibido hoy había una de Raphael Wong, amigo y uno de los Trece de los NNT que está en la cárcel. En ella decía:

> ¿Te acuerdas de aquella noche en 2014? Tú, yo y todos los jóvenes de Escolarismo y de la federación de estudiantes queríamos encontrar la forma de motivar a los manifestantes que había en Admiralty. Al final, decidimos entrar en la Plaza Cívica, pero a ti te detuvieron y a mí no. Y, sin embargo, aquí estamos. Los dos hemos acabado entre rejas. Imagino que es el destino.
>
> Si tú eres Joshua, yo soy Caleb. Juntos podemos impulsar el movimiento prodemócrata y llevar a Hong Kong a la tierra prometida.

Raphael y yo somos cristianos. Sabe que mis padres me pusieron el nombre de Joshua por el profeta que condujo a los israelitas a la tierra prometida de Canaán tras la muerte de Moisés. Mis padres no estaban pensando en ningún liderazgo político cuando eligieron el nombre, pero querían que fuera un ciudadano íntegro que obra honradamente e inspira a los demás a hacer lo mismo. Desde que mis padres me contaron la historia de Josué, he intentado no defraudarlos.

Según el Libro de Números del Antiguo Testamento, Caleb y Josué trabajaron juntos para encontrar una nueva tierra en la que establecerse. Llevaron un gran racimo de uva de Canaán a los israelitas para convencerlos de que era la tierra prometida que habían estado buscando durante cuarenta años.

Cuando Raphael dice que es Caleb está siendo humilde. Ha hecho grandes sacrificios por Hong Kong. Además de la condena de nueve meses que está cumpliendo, se enfrenta a otros dos cargos por incitar a la participación en la Revolución de los Paraguas y por violar la orden judicial de no entrar en la zona de protesta de Mongkok, el mismo cargo por desacato que el mío.

En el pasado, los partidos políticos prodemócratas tuvieron sus diferencias. Aunque luchemos por la misma causa, se interpusieron los conflictos interpersonales y los desacuerdos ideológicos. De vez en cuando, Raphael y yo discutimos sobre estrategia y dirección. Pero con tantos de nosotros en la cárcel, va siendo hora de que dejemos a un lado nuestras diferencias y trabajemos unos con —y no contra— otros.

La cárcel como arte experiencial

模擬監倉

Día 46. Domingo, 1 de octubre de 2017

He seguido el consejo de mi madre y he pasado el día contestando unas doscientas cartas de simpatizantes. Sé que no podré acabarlas todas antes de que me trasladen, pero algún día tenía que empezar. El resto de los reclusos está ocupado viendo *Kung Fu Sion*, seguramente la mejor película de Stephen Chow antes de que empezara a dirigir coproducciones con los estudios de China continental.

No me he dado cuenta de que hoy era el Día Nacional hasta que he oído los manidos discursos de celebración y el himno nacional en el televisor. En las noticias he visto manifestantes rodeando la bauhinia dorada, unos con pancartas que rezaban: «¡Libertad para los presos políticos!». También han emitido imágenes de una manifestación solidaria por Hennessy Road y la cámara ha enfocado el grupo de Demosistō. Tiffany Yuen llevaba una pancarta y gritaba: «¡Rimsky Yuen, dimisión!». De no ser por la decisión del secretario de Justicia de recurrir nuestras sentencias (en contra de la recomendación de su personal, debo añadir), Alex, Nathan y yo estaríamos allí manifestándonos en la calle con el resto de la multitud.

Después de ver esas imágenes, he buscado más reportajes sobre Demosistō en los periódicos y me ha alegrado encontrar dos artículos en el *Apple Daily* de hoy. El primero resumía los últimos datos de un proyecto de investigación que estamos llevando a cabo en colaboración con un grupo llamado Liber Research Community, una organización sin ánimo de lucro que se dedica a hacer investigaciones independientes del desarrollo social de Hong Kong. En «Descodificar la historia de Hong Kong» han trabajado docenas de voluntarios y universitarios, que han estudiado el material de archivo, aquí y en el Reino Unido, que documenta las conversaciones sobre el futuro de Hong Kong en las negociaciones sino-británicas para la transferencia de soberanía en la década de 1980.

Uno de los documentos demuestra que Maria Tam, una abogada y política que se convirtió en una ardiente partidaria de Pekín y en una paria política, pidió al Gobierno británico que publicara informes periódicos para supervisar el estado de Hong Kong bajo dominio chino, algo que en el Hong Kong actual se consideraría sumamente antipatriótico e incluso subversivo. El hecho de que nuestro proyecto de investigación continúe sacando a la luz declaraciones escandalosas y tenga cobertura mediática me hace sentir muy orgulloso.

El segundo artículo trataba sobre una manifestación organizada ayer por Demosistō para animar la participación en la marcha solidaria de hoy. Una fotografía mostraba a dos de nuestros miembros (no se les veía la cara) vestidos con uniformes carcelarios, en cuclillas dentro de una celda de papel maché. Ha sido una forma sencilla, pero poderosa, de que el público vea lo que significa para un joven estar encarcelado como si fuera un delincuente habitual y se dé cuenta de que la prisión por motivos políticos no es una idea abstracta a la que no hay que hacer caso.

Temporada del pastel de luna

月餅季節

Día 48. Martes, 3 de octubre de 2017

El Festival del Medio Otoño es una de las grandes celebraciones de Hong Kong. Es el equivalente cultural al Día de Acción de Gracias en Estados Unidos, una noche en que se reúnen las familias para disfrutar de una buena cena, seguida de pasteles de luna.

Para compensar el que estemos separados de nuestros seres queridos en esta fecha especial, que es mañana, la cárcel nos ha preparado un festín. Además de pescado asado y huevos duros para cenar, nos han servido un muslo de pollo del tamaño de una tarjeta de crédito. Por supuesto, no se parecía en nada a los gruesos y sabrosos que venden en los puestos callejeros, pero, en la cárcel, esa sorpresa ha contribuido a que el día pareciera más festivo.

Después nos han dicho que nos darán un pastel de

luna a cada uno mañana por la noche. Ha sido un bonito detalle, aunque, en la cárcel, me parece un poco extraño. Todos los chinos conocen la historia de que los revolucionarios utilizaron los pasteles de luna para derrocar al Gobierno mogol hacia el final de la dinastía Yuan. Durante un Festival del Medio Otoño de hace setecientos años, los rebeldes metieron mensajes secretos en los pasteles para eludir a las autoridades y organizar un exitoso levantamiento contra los mogoles. No sé si la dirección es consciente de lo irónico que resulta ofrecer esos dulces subversivos en una cárcel.

Esta mañana han llegado dos reclusos nuevos a Pik Uk, lo que quiere decir que no seré el único recién llegado que barra todas las zonas comunes. También significa que me ayudarán a cargar las pesadas botellas de leche que tengo que subir por las escaleras, desde la cocina a las celdas del cuarto piso. Eso sí, cuando digo «leche» no me refiero a la que se ve en los supermercados. Aquí preparamos la leche mezclando una desmesurada cantidad de agua con una escasa parte de leche en polvo. Básicamente es agua de color blanco. Como era de esperar, los reclusos no se relamen con ella.

Sentencia en mi vigésimo primer cumpleaños

二十一歲生日的判刑

Día 49. Miércoles, 4 de octubre de 2017

Hoy me he enterado en las noticias de que el 23 de octubre se dictará sentencia por el caso de desacato. No está mal, al menos podré ver caras conocidas: mi familia, miembros de Demosistō, abogados y otros activistas.

La dirección de la cárcel ha pospuesto un día mi traslado a la cárcel de adultos de Stanley por motivos logísticos. Eso significa que el 14 de octubre, el día después de que sea mayor de edad, diré adiós a los reclusos y saldré de Pik Uk en autobús, con una bolsa pequeña con objetos personales y otra más grande llena de la comida basura que pienso comprar, para gastar todo mi sueldo de octubre.

Hoy he pasado gran parte del día hojeando las 200 páginas impresas de Facebook que me envió Senia Ng. He leído la sentida entrada de Tiffany en la que describe cómo está sobrellevando el que Nathan esté en la cárcel (esos dos miembros de Demosistō llevan años saliendo) y los esfuerzos que hace para frenar el intento de la Oficina de Educación de encubrir temas delicados, como las protestas de la plaza de Tiananmén, en los planes de estudio de secundaria.

También había una entrada sobre el viaje de Derek a Londres con tres diputados pandemócratas —Eddie Chu, Ray Chan y Ted Hui— para entrevistarse con representantes del Ministerio de Relaciones Exteriores y de la Mancomunidad de Naciones británico. Es la primera visita de este tipo en la historia reciente y un paso importante para forjar relaciones más estrechas con gobiernos extranjeros, con las que atraer la atención mundial hacia la situación en Hong Kong.

También me ha emocionado leer sobre el grupo de presentadores del popular *Demosistō Student Union*, un programa semanal en D100 Radio. En otros tiempos, Nathan, Derek y yo —los miembros más antiguos del partido— siempre participábamos en esas emisiones. Ahora que los tres estamos en la cárcel, o a punto de estarlo, los miembros más jóvenes tienen la oportunidad de pasar tiempo en antena y perfeccionar su habilidad para hablar. Es bueno en cuestión de inspirar a la nueva generación de líderes.

Últimos días con los reclusos

與囚友的最後幾天

Día 50. Jueves, 5 de octubre de 2017

Ha llegado el otoño. La temperatura ha descendido unos grados y todos nos hemos puesto las camisetas azules, en vez de ir sin ellas, como hemos hecho en las últimas semanas. En Hong Kong todo el mundo prefiere el tiempo frío al sofocante calor del verano.

Ayer fue el Festival del Medio Otoño, por lo que hoy es fiesta nacional (la idea es dar una jornada de descanso después de una noche de celebraciones). En Pik Uk, los días de fiesta son como los domingos, por la mañana nos sentamos en el comedor y por la tarde en el aula. He salido a correr por el patio, para tomar un poco el aire y hacer algo de ejercicio.

Llevan tres días seguidos dándonos comidas especiales. Ayer nos sorprendieron con peras chinas, rollitos de primavera y salchichas para cenar, y esta mañana nos han entregado una bolsa a cada uno, llena de aperitivos como Cheezels, calamares secos y galletas de soda. Dentro había una nota de la Christian Prison Pastoral Association con una corta historia sobre la crucifixión de Cristo, algunas escrituras del Nuevo Testamento y un sobre de respuesta. Se anima a que los reclusos lo rellenen para solicitar una visita pastoral o literatura religiosa, y a marcar la casilla «Jesucristo, mi salvador. Ante ti yo me rindo». No sé cuántos presos habrán leído la nota y cuántos la habrán tirado sin más a la basura.

Llevamos semanas enganchados a una serie policiaca de la TVB titulada *Line Walker 2*. La estrella de la televisión Moses Chan interpreta a Mr. Black, un temible líder del crimen organizado. En el episodio de hoy (en la cárcel lo vemos un día después de su emisión), un asesino ha disparado tres tiros a quemarropa a Mr. Black. O llevaba un chaleco antibalas y sobrevive, o la TVB desea deshacerse del personaje principal de la serie, lo que es poco probable. Supongo que nos enteraremos mañana.

Los presos se han entusiasmado con la escena cumbre en la que Mr. Black se lanza por delante de sus hermanos de banda para recibir los disparos del asesino. Durante los anuncios, todos han fanfarroneado sobre sus heroicas experiencias en las que casi habían muerto y han intercambiado historias de cómo escapaban de la policía o utilizaban mensajes en clave para cerrar tratos.

Lo que no han contado —y de eso me he enterado luego en una conversación a solas con uno de ellos— es que la mayoría ha acabado en la cárcel porque sus jefes los traicionaron. A menudo, los que se encuentran en la parte baja de la jerarquía de la banda acaban siendo el chivo expiatorio que «se sacrifica por todos». Por muchos programas de televisión y películas que intenten dar glamur a las tríadas, en la jerarquía de las bandas no falta la cobardía y la hipocresía.

También me he enterado de que la mayoría de reclusos decidió entrar en una banda por cuestiones financieras: necesitaban llevar comida a la mesa, sobre todo los que estaban separados de su familia. Es muy diferente a la versión del Gobierno de que los jóvenes eligen entrar en una banda porque quieren ser guais o porque han fracasado en el colegio y necesitan encontrar algo que hacer.

Otra cosa que me ha sorprendido es que soy la única persona en toda la cárcel juvenil que tiene un nombre cristiano. A pesar de que la mayoría de los hongkoneses utiliza nombres ingleses y les gusta mezclar palabras inglesas en las conversaciones, en la cárcel no es así. De hecho, hay reclusos que ni siquiera saben el alfabeto. Esta mañana, cuando he mencionado que echaba de menos el té con leche los fines de semana, me han contestado: «Chi-fung, basta de palabras inglesas, ¿ok? ¡Habla cantonés, por favor!».

Última carta desde Pik Uk

獄中札記

Día 53. Domingo, 8 de octubre de 2017

A mis simpatizantes:

Dentro de poco cumpliré veintiún años y me trasladarán a una cárcel para adultos para que cumpla el resto de mi condena.

Llevo cincuenta días en Pik Uk. Todos son iguales: paso revista, limpio, voy a clase, como y me acuesto; es un bucle sin fin que se repite sin parar. Se espera que los reclusos acaten unas órdenes estrictas en un entorno diseñado para eliminar el pensamiento independiente y el libre albedrío.

La Biblia nos enseña que el «sufrimiento produce perseverancia; la perseverancia, entereza de carácter; y la entereza de carácter, esperanza» (Romanos 5, 3-4). Para sacar el mayor partido a una situación difícil, he entablado amistad con docenas de reclusos. Me han proporcionado una mayor comprensión de los problemas sociales a los que se enfrentan las personas de mi edad. También he hecho todo lo posible para luchar contra las injusticias institucionales, desde el abuso físico al obligatorio afeitado de cabeza. Aunque me han amenazado con represalias por decir lo que pienso, no me he dejado intimidar y sigo estando comprometido con asegurar la justicia y la dignidad para todos.

De la campaña contra la Educación Nacional a la Revolución de los Paraguas, de Escolarismo a Demosistō, de la primera manifestación que lideré en 2012 a mi encarcelamiento en 2017, estos últimos seis años han estado llenos de altibajos. Creo que mi reclusión tiene un lado bueno. En estas últimas siete semanas he tenido la oportunidad de tomarme un respiro y reflexionar sobre mi trayecto en el activismo, hacer inventario de errores cometidos y lecciones aprendidas, leer más libros para mejorar y dar gracias a las personas que me han acompañado en el camino.

Muchos analistas, sobre todo los de la prensa extranjera, atribuyen la Revolución de los Paraguas y el despertar político que engendró a los esfuerzos de unos pocos estudiantes activistas como Nathan, Alex y yo. Pero esa no es la verdad. El verdadero héroe que merece ese crédito es el extraordinario pueblo de Hong Kong, que durante décadas se ha mantenido unido y ha luchado por la democracia pese a las dificultades.

Pero volvemos a precisar ayuda. Necesitamos que todos los ciudadanos de Hong Kong dirijan su energía, su perseverancia y su compromiso con la no violencia hacia la construcción de una sociedad civil más sólida. Cuando llegue el próximo levantamiento político (en la forma que sea), estaremos mejor posicionados para aprovechar la oportunidad al máximo y utilizarla para acercarnos más a nuestro objetivo.

En los últimos cincuenta días he recibido más de setecientas setenta cartas de simpatizantes de todo el mundo. Algunas eran de «lazos azules» opuestos a la Revolución de los Paraguas. Sus palabras de ánimo, a pesar de sus tendencias políticas, son prueba suficiente de que, si seguimos demostrando que nuestra motivación es pura y desinteresada, incluso los que están en desacuerdo con nosotros nos darán la razón.

De semiautonomía a semiautocracia, Hong Kong ha entrado en una nueva era de opresión política. Perder la fe ahora sería dejar que nuestros oponentes tengan la última palabra. Pero si cada uno de nosotros hace su parte, nuestros sacrificios, unidos, serán una fuerza que tener en cuenta. Si persistimos lo suficiente, el arco de la historia se inclinará hacia nosotros.

JOSHUA WONG
Cárcel de Pik Uk

La presencia de Dios

主的同在

Día 57. Jueves, 12 de octubre de 2017

Hoy es mi último día como menor de edad.

En vísperas de un momento trascendental en mi vida, me ha emocionado recibir una postal de cumpleaños firmada por unos treinta pastores y ministros de mi iglesia. En especial, me han inspirado las palabras del reverendo Chu Yiu-ming.

> La presencia de Dios trasciende los muros
>   de las prisiones.
> Que su gracia te libere allí donde estés.

He ido a la misma iglesia desde que tenía tres años. El edificio es una de esas estructuras patrimoniales en las que caben mil personas y la congregación la componen principalmente familias de clase media del barrio. Es una casa de culto como muchas otras en Hong Kong.

Con alguna notable excepción, como el reverendo Chu Yiu-ming (del trío Ocupa el centro), los líderes religiosos suelen mantenerse al margen de la política. Los pastores a menudo eluden temas delicados basándose en que tienen que dar cabida a todo tipo de tendencias políticas. Hace cinco años, durante la campaña contra la Educación Nacional, sentí oposición e incluso desaprobación por parte de los superiores de la iglesia, lo que me decepcionó, porque siempre los había tratado como miembros de mi familia.

He de decir que no todas las personas de mi iglesia comparten esa actitud y que algunos apoyan abiertamente mi activismo. También entiendo por qué se muestran escépticos otros, ya que la religión y la política nunca se han mezclado y simplemente no saben qué hacer con un joven enardecido que ha hecho carrera cuestionando la autoridad. Además, ¿cómo me iba a ofrecer un consejo valioso un pastor si no tiene un conocimiento sólido de las cuestiones políticas subyacentes?

El despertar civil que produjo la Revolución de los Paraguas está muy extendido y es irreversible. Si las iglesias no evolucionan al mismo tiempo que nuestro cambiante panorama político, corren el riesgo de alienar a su congregación, y eso me preocupa. Ese problema aumentará conforme la sociedad se polarice y los feligreses pidan que sus líderes religiosos se posicionen. En algún momento, incluso los miembros más leales votarán con los pies y buscarán una alternativa en la que se preste atención a sus opiniones y quejas políticas.

He oído rumores de que han fijado el día de mi traslado para el lunes dieciséis de octubre. Tal como he solicitado, me llevarán a un pabellón de no fumadores en la cárcel de Stanley. Una de las ventajas de estar en una cárcel para adultos es que no tendré que volver a pasar esas insulsas revistas matinales. De hecho, he pasado la última esta mañana y después de todo este tiempo, sigo sin hacerla bien. Tengo problemas para acordarme de las órdenes más básicas en inglés y, además, en la voz de nuestros sargentos de habla cantonesa, suenan raras. ¿Quién iba a imaginarse que «*lep-rait-lep*» quiere decir «izquierda-derecha-izquierda», que «*chein estep*» es «cambio de paso» y «*frisi*» «¡alto!»? Mi pronunciación en inglés no es perfecta, pero hasta yo me doy cuenta de que los sargentos están masacrando ese idioma. Aparte de la dicción, nunca entenderé por qué «cambio de paso» significa dar un pisotón en el suelo con el pie derecho, la frase no tiene ninguna relación con el acto.

Pero en las cárceles lo único que importa es guardar las apariencias. Las revistas de la mañana se muestran a los visitantes importantes como la máxima encarnación de la disciplina y el orden. Siempre que viene un juez de paz o un funcionario superior de prisiones, tenemos que alinearnos como si fuéramos escolares y gritar las respuestas a la vez.

En una ocasión, una persona muy importante vino a

ver la cárcel y me fijé en un misterioso nido en un pasillo, fuera de una de las clases. Cuando pregunté por qué estaba allí, un guardia me contestó: «Lo hemos colocado ahí para demostrar a nuestro apreciado visitante que los reclusos de Pik Uk están en contacto con la madre naturaleza».

EL 16 DE OCTUBRE DE 2017,
JOSHUA FUE TRASLADADO A LA CÁRCEL
DE STANLEY, UNA INSTALACIÓN
PENITENCIARIA DE MÁXIMA SEGURIDAD.

Azul contra amarillo

藍絲黃絲

Día 66. Sábado, 21 de octubre de 2017

Los sábados también se trabaja en una cárcel para adultos. Eso quiere decir que tengo que limpiar más váteres.

Como posiblemente solo estaré tres días más en Stanley, he decidido renunciar al desayuno y el almuerzo hasta que me excarcelen. Quiero guardar el hambre para la comida de verdad, la de afuera, con los amigos y la familia.

Los compañeros de celda me han dicho que el ambiente ha cambiado desde que llegué. Según ellos, el personal está más alerta y tenso. De repente, algunas normas que normalmente no se cumplen han empezado a tomarse más en serio.

Por ejemplo, como la procedencia de los reclusos es tan diversa, a los caucasianos se les sirve comida occidental, a los surasiáticos, pan *naam* y curri, etcétera.

Los presos que no son de etnia china a menudo intercambian platos, para disfrutar de una mayor variedad y como forma de relacionarse. A pesar de que las directrices de la cárcel prohíben hacerlo (quizá para evitar que los reclusos utilicen la comida como moneda con la que hacer trueques), los guardias solían hacer la vista gorda. Al fin y al cabo, ¿qué mal puede haber en que se comparta? Pero, desde que llegué, ya no puede hacerse, los guardias patrullan el comedor casi todos los días.

Las diferencias entre los presos no se limitan a las etnias; también hay una gran variedad de opiniones políticas. Los reclusos jóvenes suelen ser «lazos amarillos», simpatizantes del movimiento prodemócrata. Algunos me han hablado de su implicación en la Revolución de los Paraguas y las manifestaciones. Pero también hay muchos acérrimos de los «lazos azules». Ayer, un guardia de la unidad de seguridad me dijo que varios adultos del taller se habían burlado de mí y me habían llamado «traidor» cuando había pasado a su lado. No los oí, pero no me extraña.

Hoy he recibido una carta de unos compañeros de clase de la universidad. Empezamos el mismo año y ahora están a punto de licenciarse. El año que viene, trabajarán en verano y recibirán su primera nómina. Algunos serán arquitectos y otros se decantarán por las finanzas o la tecnología de la información. Ascenderán en la escala corporativa y triunfarán en la vida.

Por el contrario, yo acabo de posponer mis estudios otros seis meses, lo que sitúa mi posible licenciatura en mayo de 2020. Y entonces ¿qué? La política es lo que más me interesa y, para ser sincero, lo único que sé hacer. Ninguna empresa o departamento gubernamental se atreverá nunca a acercarse a esta espina clavada en el corazón de Pekín. Esa es la cruda realidad de ser activista en Hong Kong.

El camino a la democracia plena

香港的民主路

Día 67. Domingo, 22 de octubre de 2017

A partir de septiembre, el referéndum por la independencia de Cataluña se ha mencionado en las noticias casi todos los días. Esta semana, la situación se ha puesto al rojo vivo y el canal de noticias 24 horas ha emitido las mismas imágenes de manifestaciones masivas en Barcelona durante todo el día. Cuanto más sé de las exigencias del pueblo catalán, más cosas en común veo entre nosotros.

No me refiero a la independencia de Hong Kong, de la que nunca he sido partidario, sino de la similitud entre los esfuerzos de Cataluña por reivindicar su identidad cultural y política, y la lucha de Hong Kong por conseguir lo mismo, pero eclipsada por la China comunista. Muchos de los problemas a los que nos enfrentamos en Hong Kong, desde la creciente intervención del Gobierno central a la marginación de nuestra lengua materna o la persecución de activistas políticos, son tan familiares para los catalanes como para los hongkoneses.

En Cataluña hay un apoyo popular masivo a la resistencia contra Madrid. Las manifestaciones multitudinarias son siempre fundamentales, a pesar de la amenaza de la violencia y las detenciones. Sin embargo, esa campaña carece del respaldo de la comunidad internacional. Sin aliados clave como gobiernos extranjeros y la Unión Europea, es difícil que el movimiento catalán triunfe en un futuro próximo.

Esa misma lección podría aplicarse a nuestra lucha prodemócrata. Independientemente de nuestras exigencias, ya sea el sufragio universal o la autodeterminación, Hong Kong, enfrentada a la autocracia más poderosa del mundo, debe recurrir al resto del mundo y asegurarse el apoyo internacional. Por eso la interacción y conseguir contactos internacionales son objetivos prioritarios para Demosistō. Espero que otros partidos políticos pandemocráticos estén de acuerdo con nosotros y trabajemos juntos para conseguir aliados en el extranjero.

Hablando de cosas menos serias, un compañero grabó la película del domingo de TVB Pearl y todos los ocupantes de la celda vitoreamos cuando nos enteramos de que era *Vengadores: La era de Ultrón*. A pesar de que ya la he visto en el cine, como soy un fan de los superhéroes que ha visto todas las películas de Marvel y DC (algunas más de una vez), me ha hecho tanta ilusión como a los demás. Ver el logotipo de Marvel al comienzo ha sido suficiente para que se me pusieran los pelos de punta. En cuanto salga de aquí, veré la nueva película de Thor.

Último día

最後一天

Día 68. Lunes, 23 de octubre de 2017

El último día en la cárcel ha sido como cualquier otro. Lo he pasado leyendo las noticias, limpiando váteres y viendo un rato la televisión con los compañeros de celda. Me alegro de haber acabado de leer la biografía de Malala antes de volver a ser libre. Mientras tenía el libro en las manos no podía dejar de sentirme afortunado y honrado por haber podido luchar por mis ideales y haber realizado mis sueños —por manido que parezca—, y por haber dejado huella en la historia.

Cuando salga, habré pasado sesenta y nueve días entre rejas. A pesar de que son una minucia, comparados con las décadas que llevamos luchando por la democracia, representan un hito en mis siete años en el activismo político. La cárcel me ha arrebatado la libertad, pero también me ha proporcionado muchas cosas: tiempo para reflexionar, espacio para crecer y recuerdos que me acompañarán toda la vida. Además, saldré de la cárcel más fuerte y más comprometido que nunca con nuestra causa.

En muchos países, la lucha por la libertad y la democracia pone en peligro la seguridad e incluso la vida. Tal como acertadamente señaló mi compañero de celda pakistaní, el precio que se paga por el activismo en otros lugares es mucho más alto que en Hong Kong.[14] Aunque, tal como ha demostrado la condena de los «trece más tres», es algo que puede cambiar rápidamente. Razón de más para que progresemos y tomemos impulso mientras podamos, antes de que el coste de nuestra resistencia sea prohibitivamente alto. No tenemos excusa para no hacerlo y nuestra deuda con las futuras generaciones es, al menos, intentarlo.

Esta es la última entrada de mi diario, de momento. Volveré a estar entre rejas pronto. Nuestra lucha aún no ha acabado.

14. La situación en Hong Kong se ha deteriorado rápidamente desde la encarcelación de Joshua en 2016. Véase Acto III, capítulo 1, «Crisis de la Ley de Extradición».

Acto III

Amenaza a la democracia global

Una injusticia en cualquier lugar es una amenaza a la justicia en todas partes.

MARTIN LUTHER KING

1

Crisis de la Ley de Extradición: tendencia global en la democracia basada en la ciudadanía

逃犯條例危機：公民民主的全球趨勢

*E*n Hong Kong han pasado muchas cosas desde que me encarcelaron por primera vez.

Si tuviera que comparar nuestra épica lucha por la libertad y la democracia con la trilogía original de *La guerra de las galaxias*, los dos años que han transcurrido desde mi paso por la cárcel serían una versión ampliada del segundo episodio: *El imperio contraataca*. Mientras la resistencia se reagrupaba y recuperaba del último alzamiento político, la Flota Imperial, comandada por la nueva jefa ejecutiva, Carrie Lam, comenzó un contraataque a gran escala contra la sociedad civil.

En enero de 2018, tres meses después de salir de la cárcel de Stanley, las autoridades electorales prohibieron que la portavoz de Demosistō, Agnes Chow, se presentara a las elecciones parciales para suplir el escaño vacante de Nathan en el LegCo. La prohibición se basó en que la defensa de Demosistō de la autodeterminación era sediciosa y no se ajustaba a la Ley Básica. La notificación se comunicó después de que Agnes hubiera renunciado a la ciudadanía británica para presentar su candidatura, lo que supuso que ese sacrificio, en contra del deseo de sus padres, no sirviera para nada. Cuando le pedí disculpas, contestó sin el menor atisbo de arrepentimiento: «Ya soy mayorcita. Sabía en lo que me metía. Además, deja de disculparte por lo que nos ha hecho el Gobierno».

Y las malas noticias siguieron llegando. En abril, después de meses de juicios agotadores, se condenó por alteración del orden público e incitación a nueve destacados activistas comprometidos con la Revolución de los Paraguas. A pesar de que a algunos se les suspendió la pena o se les sentenció a realizar servicios en bien de la comunidad, la sanción de los profesores Benny Tai y Chan Kin-man, de Ocupa el centro, fue de dieciséis meses de cárcel, y la de «Botella» Shiu Ka-chun y de Raphael Wong de ocho.

A continuación, en julio, el Departamento de Seguridad tomó la inaudita decisión de ilegalizar un partido político, el Partido Nacional de Hong Kong, por su postura proindependencia. Menos de una semana después, el gobernador deportó a Victor Mallet, del *Financial Times*, por invitar al fundador de ese partido prohibido a dar una charla en el Foreign Correspondent's Club. Fue la primera expulsión de un corresponsal extranjero por motivos políticos en la historia de la ciudad.

La política del Gobierno de Hong Kong de dejar fuera de la Asamblea Legislativa a la oposición y de encarcelar a sus miembros cuando se manifestaban en la calle forzó a sus oponentes a elegir opciones más radicales. Nadie, sino nuestros líderes políticos, que actúan según el dictamen del Partido Comunista de China, es responsable de obligar a los ciudadanos a utilizar formas de resistencia más violentas y desestabilizar la ciudad con ellas. Como activistas, nuestro desafío consiste en encontrar el equilibrio entre los principios y los resultados, los medios y los fines. ¿Qué otra cosa podemos hacer si se nos niega el derecho a la participación política y se desoyen las protestas no violentas? ¿Cuánta violencia ha de tolerarse para fomentar nuestra causa sin alienar a la sociedad de Hong Kong y la comunidad internacional?

No tuvimos que esperar mucho para darnos de bruces con la respuesta a esas preguntas. En junio de 2019, inmediatamente después del trigésimo aniversario de la masacre en la plaza de Tiananmén y casi cinco años después de que la Revolución de los Paraguas sacara a los hongkoneses a la calle, la ciudad volvía a estar sumida en la inestabilidad política. Un controvertido acuerdo con China sobre el traslado de fugitivos anunciado por el Gobierno desencadenó una nueva ola de protestas a gran escala. Lo que pasó a continuación es algo que nadie —ni el bando prodemócrata ni el Gobierno de Carrie Lam ni, sin duda alguna, la dirección comunista en Pekín— podría haber imaginado.

La causa de la polémica fue una propuesta del Gobierno que permitiría la extradición de presuntos delincuentes para que se les juzgara en la China continental. Muchos temieron que cualquiera en Hong Kong, desde los comerciantes a los trabajadores extranjeros o simplemente los que estuvieran de paso por la ciudad, podría ser detenido y enviado a las autoridades al otro lado de la frontera, donde los juicios justos y las garantías procesales no están asegurados. La disparidad entre los dos sistemas judiciales y las garantías legales es la razón por la que la mayoría de democracias modernas, como la de Estados Unidos, el Reino Unido, Alemania o Japón, se hayan negado a firmar tratados de extradición con China. De hecho, esta cuestión se planteó durante las negociaciones de la transferencia de soberanía; el acuerdo mutuo de traslado de sospechosos entre Hong Kong y China se excluyó de nuestras ordenanzas de extradición, debido a la preocupación por la posible persecución política y el abuso de los derechos humanos.

En cuanto se anunció el proyecto de Ley de Extradición, la sociedad civil se puso en pie de guerra por el potencial efecto amedrentador de esa propuesta en la libertad de expresión en Hong Kong; se sabe que China castiga a sus críticos inventando cargos como evasión de impuestos o tráfico de drogas. El proyecto de ley se presentó a las pocas semanas de la detención en Canadá de Meng Wanzhou, director financiero del gigante de la tecnología Huawei. La fecha escogida intranquilizó a la comunidad de expatriados sobre las represalias que podría tomar Pekín a través del canal de la extradición. «Si se aprueba esa peligrosa ley —me dijo un amigo chinoamericano—, los comunistas podrán detener a todo el que no les guste. Lo harán abierta y legalmente sin tener que recurrir al secuestro, como en el caso de los libreros.»

Aparte de la desconfianza en Pekín, lo que enfureció más aún a los hongkoneses fue la obstinada determinación de Carrie Lam de seguir adelante con la ley, a pesar de la protesta pública. Su intransigencia motivó que todo el mundo se preguntara: «¿Por qué tiene esa fijación con un acuerdo que no quiere nadie? La sociedad está dividida y hay otras cuestiones mucho más acuciantes que resolver, como la vivienda y la pobreza en la tercera edad. ¿Es idea de Pekín o un proyecto personal para impresionar a sus jefes?». Cualesquiera que sean las respuestas, la autoinfligida crisis confirmó la imagen de Lam de burócrata de carrera sorda y subrayó los problemas de tener un gobierno no elegido.

Cuando las protestas masivas estallaron en junio, dio la impresión de que la Revolución de los Paraguas había vuelto a empezar, excepto porque los manifestantes estaban más enfadados y eran mucho más combativos que sus predecesores. Cuando se negaron a que se les volviera a dejar de lado como en 2014, la voz de los jóvenes pasó de alta a ensordecedora. Las manifestaciones se intensificaron rápidamente después de que dos concentraciones de un millón de personas no consiguieran inclinar la balanza política: el Gobierno chino y el de Hong Kong se negaron a retirar el proyecto de ley, a pesar de las masivas protestas. Las concentraciones pacíficas pronto se convirtieron en una guerra de guerrillas urbana a gran escala.

Apareció un tipo de manifestante más activo, vestido de negro, con casco amarillo y máscara antigás, al tiempo que la campaña crecía en volumen y organización. Anónima y sin líder, se movilizaba a través de aplicaciones de participación colectiva y empezó a enfrentarse a la policía y a destrozar negocios que se creía que eran progobierno. Algunos arrancaban adoquines para arrojarlos contra la policía, mientras que otros lanzaban cócteles molotov e incendiaban estaciones de metro. Una pintada antigobierno ofreció una conmovedora explicación, o justificación, por el uso de tácticas más agresivas: «¡Vosotros nos enseñasteis que las protestas pacíficas no funcionan!».

Como respuesta, la policía dio rienda suelta a un uso de la fuerza sin precedentes y los atacó con bolas de goma, granadas detonadoras, proyectiles *bean-bag*, cañones de agua e incluso munición real. Para colmo de males, algunos matones a sueldo se unieron a la refriega y golpearon a manifestantes y transeúntes por igual, mientras la policía se quedaba cruzada de brazos o escoltaba a los asaltantes. Todo eso elevó los sentimientos antigubernamentales al máximo. Si Carrie Lam se parecía a Darth Vader, la policía hongkonesa equivalía a las tropas de asalto con armadura que blandían pistolas bláster y aterrorizaban a los habitantes de toda la galaxia.

Nunca olvidaré la noche de julio en que los manifestantes se enfrentaron a una columna de antidisturbios en Sheung Wan, a tiro de piedra del corazón financiero de la ciudad. Poco después de la medianoche, la policía quiso despejar la zona disparando una rápida andanada de gas lacrimógeno, lo que convirtió esa tranquila área residencial en un campo de batalla inundado de humo. Nathan y yo estábamos en primera fila para intentar razonar con el oficial al mando, pero fue en vano. Empezamos a tener problemas para respirar y a toser incontroladamente, pues las finas máscaras quirúrgicas que llevábamos eran inútiles contra el humo que nos envolvía. Intentamos esquivar las descargas de gas, pero había demasiadas a nuestro alrededor. «Ya está, voy a morir asfixiado», pensé, antes de que Nathan encontrara una salida y tirara de mí hacia ella.

En septiembre, tres meses de incesantes enfrentamientos convirtieron la ciudad en un campo de batalla urbano, Carrie Lam finalmente cedió y anunció la retirada del proyecto de ley. Pero los manifestantes rechazaron aquella concesión por ser «insuficiente y demasiado tarde» y no consiguió aplacar la indignación pública. La protesta contra la Ley de Extradición se había convertido en una campaña más amplia que exigía rendición de cuentas y democracia. El grito de batalla en las calles pasó de «¡No a extradición a China!» y «¡Fuera la ley!» a «¡Liberad Hong Kong, la revolución de nuestros tiempos!» y «¡Cinco exigencias, ni una menos!». Entre ellas estaban las de la creación de una comisión independiente que investigara la conducta indebida de la policía, la amnistía para los manifestantes detenidos y el sufragio universal.

En muchos sentidos, esta nueva ronda de alzamientos populares forma parte de una tendencia global más amplia de democracia impulsada por los ciudadanos.

Desde la República Checa y Rusia a Irán, Kazajistán y Etiopía, los ciudadanos de a pie utilizan la poca libertad de expresión que poseen para expresar sus frustraciones frente a la corrupción, las fallidas políticas económicas y el retroceso en las libertades civiles. Por ejemplo, al otro lado del mundo, en Venezuela, la pretensión del presidente Nicolás Maduro de concentrar el gobierno en una sola persona, llenando la Asamblea Constitucional y los tribunales con aliados políticos, y el subsiguiente colapso de la economía venezolana, sacó a la calle a una multitud que pedía su dimisión. Hace poco, en Chile, las manifestaciones violentas contra el aumento del precio del metro se transformaron en un levantamiento popular masivo que exigía la igualdad social. De modo parecido, en el Líbano, los manifestantes ocuparon las principales arterias de su capital, Beirut, para oponerse a una serie de posibles impuestos y otras medidas de austeridad.

Mientras tanto, algunos movimientos de resistencia son tan poderosos y sus preocupaciones tan universales que trascienden las fronteras geográficas y espolean a los ciudadanos de todo el mundo. Por ejemplo, Rebelión contra la Extinción, o XR, comenzó en el Reino Unido en mayo de 2018 para exigir acciones inmediatas del Gobierno para que tomara medidas contra el cambio climático y lo tratara como la crisis existencial que es. En los dieciocho meses que lleva activo, este movimiento ha llegado a más de sesenta ciudades en los cinco continentes y ha animado a miles de jóvenes XR a que se unan a la lucha, en parte gracias a voces poderosas como la de la adolescente sueca Greta Thunberg. Muchos de esos movimientos de base, desde XR hasta la campaña pos-Parkland por la Ley de Control de Armas en Estados Unidos, cada vez están más guiados por *millennials* y generación Z, ya que, a menudo, son a los que más afecta la inactividad y la aquiescencia de las anteriores generaciones.

Ya sea en los países desarrollados o menos desarrollados, la resistencia de abajo arriba conseguida por las redes sociales y las herramientas de participación colectiva se está fusionando, lenta, pero constantemente, en un impresionante «quinto Estado» que exige responsabilidades a la clase dominante. Cuando las tres ramas del gobierno —ejecutiva, legislativa y judicial— ya no son capaces de salvaguardar los valores democráticos y se ataca y silencia con creciente intensidad al cuarto Estado de la prensa libre, emerge un quinto Estado para proporcionar los necesarios frenos y contrapesos a los que están en el poder.

Hong Kong es un buen ejemplo. La rama ejecutiva, incluido el jefe de Gobierno, la elige Pekín para que cumpla su voluntad. La Asamblea Legislativa, llena de lealistas pro clase dominante, es incluso más impotente desde la inhabilitación sin sentido de los diputados de la oposición. La judicatura independiente, en otro tiempo orgullo de Hong Kong y base de su prosperidad económica, se ve socavada por las frecuentes desautorizaciones por parte de la Asamblea Popular Nacional, cuerpo legislativo central de China. Mientras tanto, los negocios pro-Pekín presionan a los medios de comunicación retirando su publicidad o haciéndose con ellos, como demuestra el caso de la adquisición del *South China Morning Post* por el gigante del comercio electrónico chino Alibaba, con el claro objetivo de dar una imagen positiva de China. Donde los otros cuatro poderes han fallado, aparece un quinto Estado impulsado por los ciudadanos para rellenar el vacío. Esta pauta global de movimientos de protestas masivas que actúa como contrapeso del Estado está muy bien reflejada en una frase de la película distópica *V de Vendetta*: «El pueblo no debería temer a sus gobernantes. Los gobernantes deberían temer al pueblo».

Conforme Hong Kong se va hundiendo en el caos, más me doy cuenta de que no podemos librar esta batalla solos. Nuestra asediada ciudad necesita un *influencer* global que consiga apoyo extranjero y apremie a los gobiernos para que presionen a nuestro Gobierno y a Pekín. Estaba listo para asumir esa función. En septiembre viajé a Washington D. C. para testificar frente a la Comisión Ejecutiva del Congreso sobre China (CECC). Me acompañaron Denise Ho, estrella del cantopop convertida en activista por los derechos humanos, y Jeffrey Ngo, miembro de Demosistō.

Jeffrey vive en Washington y es doctorando en la Universidad de Georgetown y enlace en el extranjero de Demosistō. Ha escrito casi todos mis discursos para los viajes al extranjero —su inglés es mejor que el mío— y hemos colaborado en numerosos artículos de opinión en publicaciones internacionales, como *The Guardian, The Wall Street Journal* y *Time*.

El objetivo de la audiencia, titulada «Verano de descontento en Hong Kong y respuesta política de Estados Unidos», era doble: primero, tratar el vertiginoso malestar social provocado por el proyecto de Ley de Extradición; y, segundo, conseguir apoyo para la aprobación de la Ley de Derechos Humanos y Democracia de 2019. Una vez ratificada, esa ley permitirá al Gobierno de Estados Unidos sancionar a funcionarios gubernamentales de alto rango, como Carrie Lam y al secretario de Seguridad, John Lee, además de a los miembros de la policía de Hong Kong responsables de la violenta represión de los manifestantes. El Gobierno de Estados Unidos podrá denegar la entrada en el país a las personas sancionadas y congelar sus activos en el país. También se presentó una segunda ley, llamada Ley de Protección de Hong Kong, cuyo objetivo es frenar la exportación estadounidense a Hong Kong de armas para el control de multitudes.

Durante la audiencia me esforcé por evidenciar la gravedad de la situación en Hong Kong. «La reciente crisis política ha convertido a una ciudad global en un Estado policial —dije—. La situación puede describirse como el colapso del principio conocido como "un país, dos sistemas".» Ha llegado el momento de buscar el apoyo bipartidista para la democratización de Hong Kong. No es una cuestión de derecha o izquierda, sino de lo que está bien y lo que está mal.

Fue muy reconfortante que pesos políticos como el senador Marco Rubio y Jim McGovern, presidente del CECC y diputado, me concedieran una audiencia. También fue muy alentador poder hablar en una sala llena de hongkoneses que viven en el extranjero. La masiva asistencia reflejó un marcado contraste con una audiencia similar en el Congreso cinco años antes, durante la Revolución de los Paraguas, en la que Jeffrey era prácticamente el único hongkonés que había en la sala. Hemos recorrido un largo camino para buscar el apoyo de los compatriotas que viven en el extranjero.

Acabé mi declaración con una petición solemne: «Ha llegado el momento de que el Congreso de Estados Unidos apruebe la Ley de Derechos Humanos y Democracia en Hong Kong. También espero que el Gobierno estadounidense priorice las cuestiones de derechos humanos cuando revise su política con China».

Después de la audiencia, nos llevaron a Denise, a Jeffrey y a mí a otra sala, en la que nos esperaban la presidenta de la Cámara, Nancy Pelosi, y Eliot Engel, presidente del Comité de Asuntos Exteriores, para participar en una rueda de prensa bajo un enorme retrato de George Washington. Después de hablar con los periodistas, la presidenta Pelosi me dio un abrazo y me dijo: «Inspiras a jóvenes de todo el mundo. Gracias por tu valor y tu determinación». Era la valiente congresista que en 1991 se manifestó en la plaza de Tiananmén con una pancarta que rezaba: «Por los que mueren por la democracia en China» y que se convirtió en la mujer más poderosa de la política estadounidense. Estoy muy agradecido por su apoyo y el de otras importantes figuras de la comunidad internacional a Hong Kong y por defender nuestros intereses.

Cuando los tres salimos del Capitolio, nos abucheó una multitud de manifestantes de China continental, contenidos por un cordón policial. Gritaron «¡Traidores!» y «¡Esbirros!» mientras ondeaban banderas chinas y agitaban los brazos. Miré a uno de los que más vociferaba y le dije en mandarín: «Respira hondo el aire de libertad de Estados Unidos. En tu tierra no lo hay».

2

Fuera de lugar:
cuenta atrás para 2047

方枘圓鑿：倒數 2047

𝒜 comienzos de verano de 2016, la fachada del edificio más alto de Hong Kong, el International Commerce Centre, se transformaba cada noche y durante un minuto en un gigantesco reloj digital. Segundo a segundo, iba haciendo la cuenta atrás hasta el 1 de julio de 2047, fecha en la que finalizará el marco «Un país, dos sistemas» que garantiza la semiautonomía de Hong Kong. Esa instalación luminosa fue obra de dos artistas jóvenes locales que querían expresar su preocupación por la amenazadora fecha límite y la creciente influencia de Pekín en la ciudad. En cuanto la dirección del edificio cayó en la cuenta del mensaje subversivo, clausuró la instalación y se distanció de ella. Pero sus creadores habían logrado su objetivo: algunas imágenes de la llamada «máquina cuenta atrás» habían aparecido en las redes sociales y en los periódicos de todo el mundo.

Según un dicho de la época colonial, Hong Kong es un lugar prestado durante un tiempo prestado. Como todos los dichos, tiene su parte de verdad. Antes de la transferencia de soberanía, los ciudadanos, inquietos, hicieron la cuenta atrás del dominio británico. En cuanto el reloj marcó la medianoche del 30 de junio de 1997, se puso en marcha un cronómetro. Para los siete millones y medio de habitantes, Hong Kong es una vivienda de alquiler y nosotros sus inquilinos. Nada nos pertenece por completo o para siempre.

Pero no tenemos que esperar a 2047 para ver que algo no funciona. Dos décadas después de la transferencia de soberanía, el impacto del domino chino, por inocuo que pareciera al principio, se ha notado finalmente. Los ciudadanos empiezan a darse cuenta de que el escenario «un país, dos sistemas» es más un mito que una promesa. Los levantamientos populares de los últimos años, desde la Revolución de los Paraguas a la crisis por la Ley de Extradición, todavía latente, han puesto de manifiesto las contradicciones inherentes de ese marco: ¿cómo puede alguien confiar en que un estado totalitario gobierne o siquiera tolere una sociedad libre?

Cuando algún extranjero me pregunta qué opino de la etapa «un país, dos sistemas», a menudo contesto: «El Partido Comunista de China ha engañado a los hongkoneses. No entiende lo que son los valores liberales ni mucho menos se adhiere a ellos. Es tan paradójico como si Estados Unidos gobernara un territorio comunista en su país». Se mire como se mire, un Hong Kong democrático con gobierno chino estaría fuera de lugar.

China y Hong Kong no siempre han estado enfrentados. Resulta difícil de creer que hubo un tiempo, no hace tanto, en el que madre e hija se llevaban bien. Cuando la colonia británica se convirtió sin ningún tipo de problemas en una región administrativa especial, fue el momento en el que los ciudadanos empezaron a ver su destino entrelazado con el de sus hermanos y hermanas continentales. Creyeron que, si China prosperaba, Hong Kong también lo haría, y viceversa. La integración económica transfronteriza no solo era inevitable, sino que también representaba una oportunidad. Muchos de los que abandonaron Hong Kong antes de 1997 decidieron regresar; algunos incluso se instalaron en el continente con la esperanza de conseguir mejores sueldos y tener perspectivas de progreso.

Tras el brote del síndrome respiratorio agudo grave en 2003, el Gobierno relajó las restricciones de viaje de las personas que vivían en el continente para que visitasen Hong Kong, en un esfuerzo por revitalizar nuestra hundida economía con los dólares del turismo. Los agradecidos ciudadanos a los que había traumatizado una enfermedad mortal los recibieron con los brazos abiertos. Después del catastrófico terremoto de magnitud 8 que asoló parte de la provincia de Sichuan en 2008, los hongkoneses les dieron las gracias devolviendo el favor. Abrieron sus corazones y sus carteras y donaron cientos de millones en ayuda y provisiones. El primer domingo después del desastre, los feligreses de mi congregación guardaron un minuto de silencio para honrar a las víctimas del terremoto y colocaron cajas de donativos en toda la iglesia.

Entre los ciudadanos empezó a aparecer una cierta apariencia de patriotismo. Continuó aumentando y llegó a su cumbre en los Juegos Olímpicos de Pekín de 2008, la puesta de largo de China en el mundo. Los hongkoneses acudieron en tropel a la capital para animar a su «equipo local», ondearon la bandera roja con cinco estrellas y corearon: «¡Pon aceite, China!», queriendo decir: «¡Adelante!». Por aquel entonces yo tenía once años y un compañero de clase que había ido a los juegos me regaló un llavero de Fuwa, la mascota oficial. Me enseñó fotos frente al icónico Centro Acuático Nacional, en las que toda la familia llevaba camisetas en las que se veía un corazón junto a la palabra China.

Pero el destello de orgullo por China no duró. La masiva afluencia sin restricciones de visitantes transfronterizos comenzó a congestionar el tráfico y la ciudad se transformó poco a poco en una gigantesca tienda libre de impuestos para los ciudadanos continentales. Los alquileres de las tiendas se pusieron por las nubes y las anónimas cadenas y farmacias de productos para la piel reemplazaron a los queridos restaurantes de barrio y tiendas familiares, para atraer el dólar rojo. Y lo que es peor, Hong Kong se convirtió en un refugio para empresarios ricos de China y funcionarios de alto rango en el que ocultar sus fortunas a las autoridades, con lo que, además, aumentó el precio de la propiedad. En el periodo de diez años anterior a la Revolución de los Paraguas, los precios de las zonas residenciales se duplicaron con creces y año tras año Hong Kong fue la ciudad más cara del mundo en la que comprar una vivienda.

Nuestras quejas cotidianas solo reflejan una parte de la historia. Desde que el presidente Xi Jinping ocupó su cargo en 2012, el control de Pekín sobre la ciudad ha pasado de férreo a asfixiante. Del marco del 31 de agosto, que frustró nuestra esperanza de conseguir el sufragio universal, al secuestro de libreros, el caso del juramento y la política de encarcelaciones, los hongkoneses han sentido que el suelo político que pisan se ha ido desplazando y encogiendo a la vez. Los sucesivos enfrentamientos políticos confirman que Hong Kong no se ha librado, ni lo hará nunca, de su estatus colonial. Simplemente hemos pasado de un amo imperialista a otro.

La creciente sensación de desapego a la patria ha intensificado la crisis de identidad colectiva. Infinidad de estudios demuestran que los ciudadanos, en especial los jóvenes, se distancian cada vez más de la etiqueta de «chino» y se identifican con la de «hongkoneses», «pueblo de Hong Kong» o cualquier otra que no contenga la letra «C». El sentimiento «cualquier cosa menos chino» aumentó conforme se forjaba una nueva identidad. Esta nueva imagen se refleja a la perfección en el himno de protesta que se compuso durante la reciente crisis de la Ley de Extradición, titulado *Gloria a Hong Kong*.

Cuando amanezca
    liberaremos Hong Kong.
Hermanos y hermanas, caminad del brazo
    en la revolución de nuestros tiempos.
Nuestra lucha por la libertad y la democracia no decaerá.
Gloria a Hong Kong.

La relación amor-odio entre madre e hija es cosa de dos. Aunque los hongkoneses vean a la China comunista con desconfianza y desdén, esta, a su vez, reevalúa su estrategia para gobernar Hong Kong. La entrada de China en la Organización Mundial del Comercio —y el vertiginoso crecimiento económico que propició— implica que Hong Kong ya no es tan importante estratégica y financieramente para Pekín como lo fue. De hecho, desde la transferencia de soberanía China ha intensificado sus esfuerzos por preparar a Shanghái y Shenzhen como sustitutas viables a la hija rebelde. Cada vez hay más multinacionales que evitan Hong Kong y establecen su sede regional en la China continental, a pesar de los peligros que conlleva hacer negocios allí, desde el robo de propiedad intelectual a la falta de un Estado de derecho.

Para los líderes comunistas, Hong Kong ya no es la gallina de los huevos de oro. Para Pekín, lo que en otro tiempo consideró como la puerta a China ahora es una floreciente base de subversión. Tanto la Revolución de los Paraguas como la crisis de la Ley de Extradición se consideran desafíos frontales al dominio chino. Si no se controlan, la disidencia desbocada puede extenderse por el continente y amenazar la estabilidad del régimen comunista. Según los cálculos de Pekín, la región administrativa especial aporta más problemas que beneficios y la única forma de contener lo que los líderes consideran una cuadrilla de llorones occidentalizados es mantenerlos en un estado de adolescencia perpetua y no permitirles alcanzar la madurez política.

La desconfianza y el desdén mutuos son el telón de fondo hacia el que se encamina Hong Kong en 2047. La predicción para los próximos veinte años es desalentadora, pues la represión engendra desafío y el desafío genera más represión. Este panorama negativo no pasa inadvertido. Se está produciendo otro éxodo y los hongkoneses huyen en masa de la ciudad, como lo hicieron sus padres en las décadas de 1980 y 1990. En los dos últimos años, desde que salí de la cárcel, muchos parientes y amigos de la familia han desarraigado sus vidas y se han ido al extranjero. Las librerías están llenas de títulos como *Guía para hongkoneses sobre cómo abrir un café en Taiwán* y *Emigración a Europa para principiantes*. Las mismas conversaciones que mantuvo la generación de mis padres cuando tenían veinte o treinta años vuelven a oírse en la mesa o en la máquina de bebidas de la oficina: «¿Cómo funciona el sistema australiano de puntos? ¿Subirán los míos si compro una vivienda?» o «Deberías irte ahora que los niños son pequeños, lo asimilarán mejor y aprenderán inglés sin tener acento».

Casi a la mitad de la cuenta atrás de cincuenta años, Hong Kong está en una encrucijada existencial. La suposición de que medio siglo es suficiente para que China se democratice o, al menos, se equipare con nosotros en términos de reforma política, se ha refutado espectacularmente. En 2047, la ciudad tendrá que quedarse como está —si Pekín cree que le interesa renovar la política de «un país, dos sistemas»— o, lo más probable, integrarse completamente con el resto de China en el marco «un país, un sistema». Si nos basamos en la trayectoria actual, la queja popular de que «Hong Kong se convertirá en otra ciudad del continente» parece inevitable. Las otras dos opciones —que los hongkoneses consigan una independencia total o sobrevivan al régimen comunista como hizo Europa del Este con la Unión Soviética— parecen poco convincentes, dado el aparente ascenso de China hacia la hegemonía económica y política.

Pero, por lúgubre que se presente el futuro, me niego a rendirme ante la creciente sensación de que no podemos hacer nada y de que Hong Kong está acabada. Conforme el reloj avanza hacia 2047, más convencido estoy de que nuestra lucha por la libertad y la democracia prevalecerá. Mi optimismo se basa no solo en la convicción de que la democracia es un movimiento global inevitable, que ni siquiera el régimen más poderoso puede revertir, sino también en mi fe inquebrantable en el pueblo de Hong Kong. Nos une nuestro valor, tenacidad, resistencia, ingenuidad, ingenio y finalidad, algo que se resume en una frase que hace tiempo se utilizaba para describir la esencia de los hongkoneses: «El espíritu de la Roca del León». La creencia colectiva de que, si nos esforzamos lo suficiente, podemos superar cualquier adversidad se inspiró en la montaña que lleva ese nombre y que ha estado velando por nuestra tierra desde tiempos inmemoriales.

Así que no nos descartéis todavía. A lo largo de la historia, todo escéptico que ha profetizado el fin de Hong Kong —durante la ocupación japonesa en la Segunda Guerra Mundial, en la recuperación de la soberanía en el cambio de milenio, cuando una epidemia mortal arrasó la ciudad en 2002 y un levantamiento popular a gran escala sacudió sus cimientos en 2014— se ha equivocado. A pesar de los obstáculos, la ciudad logrará la madurez política y alcanzará su pleno potencial como faro de recuperación y resistencia en todo el mundo. Estoy seguro.

En 2047 tendré cincuenta años. Me gustaría poder decir a mis hijos que su padre presentó batalla para salvaguardar su patria. Entonces les contaré que no cometí el mismo error que la generación de mis abuelos con la transferencia de soberanía, cuando dejaron que otras partes decidieran su futuro.

3

Un mundo, dos imperios:
una nueva guerra fría

兩雄相爭：新冷戰思為

*E*l 1 de octubre de 2019, el Partido Comunista de China conmemoró el septuagésimo aniversario de la fundación de la República Popular de China. El largo día de celebraciones culminó con un desfile militar masivo en la plaza de Tiananmén, el mayor en la historia del partido. Mientras los aviones de combate atravesaban el cielo en perfecta formación, un convoy de misiles con capacidad nuclear y otros sistemas de armas nunca vistos desfilaba por la avenida Chang'an ante la atenta mirada del presidente Xi Jinping. Durante su discurso, antes de recibir un atronador aplauso, Xi declaró: «¡El pueblo chino se ha levantado! ¡Ninguna fuerza impedirá que China y su pueblo sigan adelante!».

Durante décadas, desde el programa de «reforma y apertura» iniciado por Deng Xiaoping en 1978 —la versión económica de la glásnost y la perestroika de Gorbachov que intentó reformar la Unión Soviética a comienzos de la década de 1980— y la masacre de la plaza de Tiananmén que casi lo desbarata, el mundo libre ha supuesto que la prosperidad económica traería consigo la reforma política de la China comunista. El argumento en el que se basa es que, conforme mejore la calidad de vida, el pueblo chino será más culto y estará más conectado con el resto del mundo. Exigirá más libertades y responsabilidades a los que están en el poder y los obligará a modernizar y democratizar el sistema político del país. Esa fórmula ha funcionado en otros lugares de Asia, por ejemplo en Corea del Sur y Taiwán, ¿por qué no en China? El tiempo y el dinero también seguirán su curso en el «Reino Medio».

En gran medida, Jiang Zemin y Hu Jintao, sucesores de Deng, se atuvieron a esa fórmula. Se mostraron enérgicos en el crecimiento económico, y relativamente moderados en el fervor nacionalista y el control ideológico. China fue aceptada en la Organización Mundial del Comercio en 2003 sobre esa base y cimentó su estatus de «fábrica del mundo». Los Juegos Olímpicos de 2008 fueron la forma en que China dijo al mundo que era una potencia económica tan benevolente como aseguraba y que su «ascensión pacífica» no solo era buena para su pueblo, sino para todo el mundo.

Después, en 2012, todo cambió cuando Xi Jinping derrotó a sus rivales políticos en el cambio de liderazgo cada decenio y se convirtió en el líder supremo. Hijo de un prominente revolucionario que había luchado junto a Mao en la guerra civil china, es un lobo con piel de oso panda, cuya imagen pública sencilla y discreta oculta ambición y crueldad. Desde que llegó al trono ha intentado asegurarse un lugar junto a Mao en el pabellón de los líderes comunistas poderosos. En 2017, llevó a cabo una maniobra política para que la constitución china recogiera su teoría política, junto con las enseñanzas de Mao y Deng. Pocos meses después, orquestó una reforma constitucional para abolir el límite del mandato presidencial y se coronó como emperador de por vida.

En el país, Xi Jinping ha consolidado su poder poniendo en marcha una campaña anticorrupción a nivel nacional con la que librarse de sus rivales políticos y aplastando la disidencia con el pretexto de la armonía social. El Gobierno chino ha instalado tecnología punta, como reconocimiento facial y vigilancia en línea, para controlar a los ciudadanos y manipular la opinión pública. Se ha detenido y condenado por incitación a la subversión a cientos de abogados de derechos humanos. Los ataques, demolición de iglesias y acoso habitual a las congregaciones cristianas las fuerza a la clandestinidad, mientras que a los tibetanos se les ha despojado de la libertad de expresión, religión y circulación. En la provincia de Sinkiang se ha encarcelado o enviado a campos de reeducación a más de tres millones de musulmanes uigur.

A nivel internacional, China ha demostrado su potencial militar construyendo islas artificiales en el mar de la China Meridional para utilizarlas como bases aéreas, lo que ha incomodado a vecinos como Malasia, Indonesia y Filipinas. El país se ha mostrado notablemente más enérgico en las disputas territoriales con Japón, la India y Vietnam. También se ha acusado al Gobierno chino de lanzar ataques cibernéticos coordinados a redes gubernamentales y agencias de investigación de Estados Unidos, Canadá, Australia y la India.

Esta demostración de poder físico se ha visto acompañada de una ofensiva a gran escala del poder afilado. China ha utilizado su influencia financiera y cultural para seducir, coaccionar, manipular e intimidar a otros países para que se sometan y cooperen. Ha inaugurado cientos de Institutos Confucio en el mundo para difundir propaganda bajo el disfraz de la enseñanza del idioma y el intercambio cultural. Con los auspicios de su ambiciosa Iniciativa del Cinturón y la Ruta de la Seda, ha propuesto enérgicamente su modelo económico basado en infraestructuras a países que van desde Birmania y Sri Lanka a Kazajistán y Chipre. Los contratos de construcción multimillonarios a menudo están plagados de corrupción y financiados con una deuda aplastante que aumenta la influencia política china en los gobiernos extranjeros.

La combinación de palo y zanahoria en la diplomacia regional le ha permitido exportar mucho más que productos manufacturados y conocimiento de infraestructuras. Xi Jinping quiere difundir la marca «gobierno de un partido» en Asia y más allá, tal como hizo la Unión Soviética para propagar el comunismo durante la Guerra Fría. Las empresas chinas han vendido sistemas de vigilancia ciudadana, eufemísticamente conocidos como tecnología de «ciudad inteligente», a autocracias de Oriente Próximo y Latinoamérica. La ayuda económica y el abierto respaldo de Pekín a Corea del Norte y Birmania son la razón fundamental de por qué esos regímenes siguen operando con toda impunidad, a pesar de la condena y el aislamiento internacionales.

El peso económico y la talla política sin precedentes de China han convertido en aliados y facilitadores a muchos gobiernos, en especial a sus vecinos asiáticos. Un ejemplo es especialmente cercano. En octubre de 2016, cuando fui a dar una charla sobre activismo joven en la Universidad Chulalongkorn de Bangkok, las autoridades tailandesas me detuvieron en el aeropuerto sin darme ningún tipo de explicación. Durante la reclusión en una celda oscura, uno de los oficiales chapurreó en inglés: «Esto es Tailandia, no Hong Kong. Tailandia es como China». Se refería a la falta de protección de los derechos humanos en ambos países. Fueron las horas más aterradoras de mi vida, no solo por la barrera idiomática, sino también porque estaba en suelo extranjero sin poder ponerme en contacto con un abogado. Y lo que es aún peor, ese incidente tuvo lugar justo después de los secuestros de libreros de Causeway Bay. Uno de ellos había desaparecido mientras estaba de vacaciones en Pattaya, un complejo turístico de Tailandia. A pesar de que me pusieron en libertad a las doce horas y me devolvieron a Hong Kong ese mismo día, aquel episodio fue un aviso de que el largo brazo de Pekín había llegado más allá de sus fronteras y que había intimidado a muchos gobiernos extranjeros para que siguieran sus órdenes. En la actualidad, mi movilidad en la región sigue siendo muy restringida; puedo contar con los dedos de una mano los países en Asia que considero seguros para viajar: Japón, Corea del Sur y Taiwán.

A estas alturas, toda pretensión de que China desea ascender pacíficamente al estatus de superpotencia se ha hecho añicos de una vez por todas. El segundo país más poderoso del mundo forma parte de una inquietante tendencia mundial de interferencia en los derechos humanos, nacional e internacionalmente, por parte de los regímenes autocráticos. Ya hemos visto a Rusia, otra superpotencia autoritaria, tomar medidas drásticas contra los activistas antigubernamentales de su país y anexionarse Crimea, en la vecina Ucrania. De igual modo, el Gobierno de Narendra Modi en la India ha intentado silenciar a la oposición nacional y ha invadido la semiautónoma Cachemira, al igual que el régimen militar de Turquía ha encarcelado a periodistas y ha desplazado a millones de turcos en el norte de Siria.

Su motivación es excepcional: la autoperpetuación. Estos regímenes no han mostrado ningún escrúpulo a la hora de aplastar a los disidentes, paralizar a la sociedad civil y retirar cualquier obstáculo que hubiera en su camino para consolidar y mantener el poder en su país. Fuera de sus fronteras utiliza su poderío militar para hacer una demostración de fuerza en el exterior y, lo que es más importante, impresionar e intimidar a sus ciudadanos. Esas ofensivas gemelas son críticas, porque los regímenes autocráticos a menudo se ven envueltos en luchas internas entre facciones en su país, al tiempo que combaten las insurgencias populares en la región. Por invencibles e invulnerables que parezcan al mundo, la estrategia de los dos frentes es la única forma que tienen de conservar el poder y prolongar su existencia. La simultánea expansión territorial de China en el exterior y su brutal represión de las minorías y los activistas de derechos humanos en el país son un buen ejemplo.

Pero eso no es todo. La Iniciativa del Cinturón y la Ruta de la Seda del presidente Xi Jinping, que abarca todo el continente, insinúa una aspiración aún mayor: desafiar el dominio estadounidense en el mercado y la diplomacia mundiales. En muchos sentidos, la fórmula «un país, dos sistemas» de Hong Kong ha sido también la forma en que han entendido los líderes chinos su relación con el resto del mundo. En su grandiosa visión de un nuevo orden mundial, Xi está anticipando el marco «un mundo, dos imperios», en el que los Estados Unidos y sus aliados defienden su ideología liberal basada en los derechos y China y el resto de países con un solo partido exigen que el mundo libre no interfiera en ellos, mientras continúan silenciosamente con su programa opresor y expansionista. La Iniciativa del Cinturón y la Ruta de la Seda es un intento mal disimulado de crear un bloqueo estratégico con el que contrarrestar el sistema de alianzas de Estados Unidos con Japón, Corea del Sur, Filipinas, Taiwán y Australia que ha sido el baluarte de la seguridad en Asia Oriental desde la Segunda Guerra Mundial.

Entre China y el resto del mundo democrático se

está gestando una nueva guerra fría y Hong Kong mantiene su posición en una de sus primeras batallas. Nada refleja más vívidamente esa tensión que los surrealistas momentos de pantalla dividida del 1 de octubre de 2019, en los que la cobertura en directo de las celebraciones del septuagésimo aniversario en Pekín se mostraron al mismo tiempo que escenas de manifestantes antigubernamentales desafiando el gas lacrimógeno y lanzando huevos a los retratos de Xi Jinping en las calles de Hong Kong. El contraste entre las dos narraciones no solo simboliza la lucha de David contra Goliat de los hongkoneses contra un régimen que es infinitamente más poderoso, sino que envía un mensaje claro al mundo de que el control de China sobre Hong Kong forma parte de una amenaza mucho más amplia a la democracia mundial.

En mayo de 2019, cinco meses antes de las celebraciones del Día Nacional, entré en la cárcel por segunda vez. Pasé siete semanas en el Centro de Recepción de Lai Chi Kok por violar una orden judicial durante la Revolución de los Paraguas. Intenté consolar a mis padres quitándole importancia a la situación y diciéndoles que había aprendido suficiente argot carcelario en Pik Uk como para llevarme bien con los reclusos. Bromeé sobre que mi mayor pena era perderme la noche del estreno de *Vengadores: Endgame*, la secuela de *Vengadores: Infinity War*, que había visto varias veces.

Antes de ir a la cárcel, un periodista extranjero me pidió algún comentario sobre mi segundo encarcelamiento y la represión china de los activistas prodemócratas en general. Me acordé de la conversación con mis padres y contesté: «Este no es el final del juego. Nuestra lucha contra el Partido Comunista de China es una guerra infinita».

Me temo que la guerra infinita que ha asolado Hong Kong durante años se estrenará dentro de poco en un cine político cercano a vuestros hogares.

4

Un canario en la mina: manifiesto global por la democracia

礦坑裏的金絲雀: 全球民主宣言

*E*n septiembre de 2019, durante la audiencia de la Comisión Ejecutiva del Congreso sobre China en Capitol Hill, hice una seria advertencia al comité del Congreso de Estados Unidos: «Lo que está sucediendo en Hong Kong es importante para el mundo. El pueblo de Hong Kong está en primera línea del enfrentamiento con el Gobierno autoritario de China. Si Hong Kong cae, el siguiente puede ser el mundo libre».

Hong Kong es el lugar en el que nací y mi querido hogar. En este mágico lugar hay mucho más de lo que se ve a simple vista. Además de los altos rascacielos y los relucientes centros comerciales, este territorio semiautónomo es el único sitio en suelo chino en el que los ciudadanos se atreven a hacer frente a los que están en el poder, porque nuestra existencia depende de ello. Para bien o para mal, los maremotos de resistencia de los últimos años han convertido el centro financiero en una fortaleza política. A pesar de los esfuerzos de Pekín por mantener la ciudad en un estado de perpetua adolescencia, esta se ha superado a sí misma y a su amo. Los hongkoneses también han evolucionado de entes económicos indiferentes a nobles luchadores por la libertad. Desde la transferencia de soberanía hemos librado una batalla solitaria e incierta contra una superpotencia autocrática, con los pocos recursos que teníamos: nuestra voz, nuestra dignidad y nuestra convicción.

Desde Turquía y Ucrania a la India, Birmania y Filipinas, los ciudadanos se enfrentan a regímenes opresores para defender sus cada vez más reducidos derechos. Pero en ningún otro lugar del mundo se ha demostrado con mayor claridad la lucha entre el libre albedrío y el autoritarismo que aquí. En la nueva guerra fría transpacífica, Hong Kong es la primera línea de defensa para frenar o, al menos, ralentizar la peligrosa ascensión de una superpotencia totalitaria. Como el canario en la mina o el primitivo sistema de alarma en una costa proclive a los tsunamis, enviamos una señal de socorro al resto del mundo para que se tomen contramedidas antes de que sea demasiado tarde. Hong Kong necesita a la comunidad internacional tanto como la comunidad internacional necesita a Hong Kong. Porque el Hong Kong de hoy es el resto del mundo de mañana.

La mejor forma de ilustrar este punto es comprender el «terror blanco» que ha atormentado a Hong Kong desde que volvió al dominio chino. El término hace referencia al ataque sistemático a la libertad de expresión y a otros valores democráticos, no con poderío militar, sino con formas más sutiles de miedo e intimidación. Durante años, se ha presionado a las empresas locales de Hong Kong para que callen ante temas políticos delicados o para que se alineen abiertamente con el Gobierno chino y no enfurezcan a Pekín u ofendan al lucrativo mercado continental. Los medios de comunicación de Hong Kong son famosos por autocensurarse por miedo a perder los ingresos de los anuncios. Algunos famosos han aparecido en vídeos en los que se disculpan por «herir los sentimientos» del pueblo chino al haber intervenido sin darse cuenta en debates políticos. Los sentimientos del pueblo chino se hieren con tanta facilidad y frecuencia que se ha acuñado una nueva frase, lo llamamos «síndrome del corazón frágil».

En el apogeo de las protestas por la Ley de Extranjería, Cathay Pacific —la principal línea aérea de Hong Kong, que depende en gran medida del mercado chino— despidió a dos docenas de pilotos y auxiliares de vuelo que se habían mostrado comprensivos con los manifestantes. El presidente envió una carta a los treinta y tres mil empleados en la que les advertía que podían ser despedidos si publicaban mensajes en defensa de las protestas en las redes sociales y les animaba a denunciar «comportamientos inaceptables» entre sus compañeros. Aquel incidente sucedió mientras estaba en Washington D. C. y después de la rueda de prensa se lo comenté a la presidenta Nancy Pelosi: «Es un buen ejemplo del terror blanco del que he hablado en mi declaración esta mañana. Esperemos que lo que ha sucedido en Cathay Pacific nunca ocurra en las empresas estadounidenses».

Menos de un mes después de pronunciar esas proféticas palabras, tuvo lugar la controversia de la NBA, que provocó una de las mayores crisis de relaciones públicas en la historia del deporte profesional. En octubre de 2019, Daryl Morey, director de los Houston Rockets, publicó un tuit en el que apoyaba a los manifestantes de Hong Kong. El comentario de Morey desencadenó una reacción masiva en China, que supuso la cancelación de partidos, la retirada de anuncios y el boicot de los aficionados al baloncesto de la China continental. Cuando Adam Silver, comisionado de la NBA, comentó a los periodistas que Pekín había presionado a las franquicias para que despidieran a Morey, China Central Television, la cadena estatal, advirtió a Silver de «represalias tarde o temprano» y de «espectaculares consecuencias financieras».

Ese mismo mes, Blizzard Entertainment, una empresa estadounidense de videojuegos, se encontró en un atolladero diplomático similar. Temiendo la reacción de China, Blizzard despidió al jugador de deportes electrónicos Ng Wai Chung por apoyar abiertamente a los manifestantes de Hong Kong y le despojó del premio en metálico (que después devolvió debido a la protesta internacional). Después, Apple cedió a la presión de Pekín y retiró HKmap.live de su tienda de aplicaciones, una aplicación de participación colectiva que los manifestantes habían estado utilizando para rastrear los movimientos de la policía y evitar las detenciones. Como respuesta a la decisión de Apple, envié una carta a su presidente, Tim Cook, en la que le pedía que respetara su compromiso con la libertad de expresión ante la presión de China. No lo hice porque esperara una respuesta o un cambio de idea por parte de Apple, sino porque quería enviar un mensaje urgente a la comunidad internacional. Si incluso Apple —el gigante de la tecnología líder en el mundo y uno de los que en el pasado luchó con uñas y dientes contra las autoridades estadounidenses en defensa de la intimidad de los usuarios— cede ante la presión autoritaria, ¿cómo vamos a esperar que otra empresa o persona haga frente a China en el futuro?

A pesar de que estas repercusiones de alto nivel, que sucedieron en un corto espacio de tiempo, conmocionaron al mundo, para nosotros no son nada nuevo. El pueblo de Hong Kong está tan acostumbrado a esa intimidación estatal orwelliana que ya no nos sorprende. Por desgracia, lo que ha estado sucediendo en Hong Kong durante años está pasando ahora en el resto del mundo. Los ciudadanos se dan cuenta finalmente de que la China comunista utiliza su influencia y moviliza a su pueblo para coaccionar a las empresas extranjeras y que acaten su visión del mundo. Eso convierte a China en el régimen autocrático más poderoso y el mayor mercado de consumo del planeta, la mayor amenaza a la democracia mundial. Farhad Manjoo, periodista del *New York Times*, denominó el país como «una creciente amenaza existencial a la libertad humana en el mundo».

Nuestra lucha se ha convertido en vuestra lucha, lo queráis o no. El mundo no puede cruzarse de brazos mientras la situación en Hong Kong continúa deteriorándose. Si Hong Kong cae, caerá también la primera línea de defensa mundial. Y si los gobiernos y las multinacionales continúan inclinándose ante el centro de gravedad de China, no pasará mucho tiempo antes de que los ciudadanos de todo el mundo sientan la misma picadura que hemos sentido nosotros cada día en las dos últimas décadas. Al apoyar la lucha de Hong Kong contra el régimen comunista, la comunidad internacional colabora en una lucha más amplia contra la propagación de la tiranía que, al igual que el cambio climático o el terrorismo, amenaza la forma de vida y la libertad en todo el planeta. Por eso, apoyar a Hong Kong es secundar la libertad. Y por eso hay que actuar ahora, antes de que sea demasiado tarde.

En Oriente se vislumbra el peor de los escenarios. La China de Xi Jinping está soportando la progresiva presión de la carga económica que supone mantener una guerra comercial con Estados Unidos por un lado y los disturbios regionales en Sinkiang, Tíbet y Hong Kong por el otro. Al mismo tiempo, debido a la peligrosa combinación del creciente desempleo y la inflación, el malestar social en China continental, exacerbado por la epidemia de peste porcina africana que ha aumentado el precio del cerdo, un alimento básico importante, está dejándose notar. Enfrentado a problemas desestabilizadores por todos lados, Xi Jinping ha apostado por reforzar su posición fomentando el nacionalismo en China e intensificando la represión de la disidencia. Confía en salir de estos tiempos turbulentos con mano más dura y medidas más rápidas, lo que, a su vez, hace que mi llamada a secundar Hong Kong sea más urgente y crítica que nunca. La retirada de la Ley de Extradición por parte del Gobierno de Hong Kong es simbólicamente importante porque es la primera vez que Xi ha transigido desde que asumió el poder en 2012. Nuestra batalla duramente ganada indica que el hombre fuerte, similar a Mao, no es invencible y que solo habrá luz al final del túnel si trabajamos unidos. Pensadlo: si un grupo de jóvenes sin líderes y con una protección rudimentaria logra una concesión del régimen autocrático más poderoso del mundo y con uno de los mayores ejércitos del mundo, imaginad lo que conseguiríamos si actuáramos unidos.

Por eso os pido ayuda.

Si mi trayecto como activista me ha enseñado algo es que incluso una sola persona puede lograr el cambio, por difíciles que sean las circunstancias. Tengáis la edad que tengáis, seáis de donde seáis, podéis formar parte de algo mucho más grande que vosotros. Si queréis ayudar a detener la regresión de los derechos democráticos en Hong Kong y en todo el mundo, podéis seguir el programa de diez puntos que expongo a continuación:

1. **Abrid una cuenta en Twitter** y seguid etiquetas como #StandWithHongKong, #HongKong-Protests y #FreedomHK. Traducid los tuits que os parezcan especialmente relevantes para que lleguen a más seguidores.

2. **Seguid las noticias sobre Hong Kong** en medios de comunicación independientes como *Hong Kong Free Press* (www.hongkongfp.com) y, si sabéis leer chino, *Stand News* (www.thestandnews.com).

3. **Participad en las protestas de vuestra ciudad en apoyo a Hong Kong.** Cread vuestro propio muro de Lennon o idead alguna campaña viral como la del cubo de agua helada, para promocionar la concienciación sobre la realidad de Hong Kong y la amenaza a los derechos democráticos que representan China y otros regímenes autocráticos.

4. **Ved la película hongkonesa *Ten Years* (2015),** el documental ucraniano *Winter on Fire: Ukraine's Fight for Freedom* (2015) y la película coreana *1987: When the Day Comes* (2017). Os animarán —tal como me han animado a mí— a uniros a la lucha mundial contra la tiranía y las injusticias sociales.

5. **Viajad a Hong Kong** para ver de cerca la situación y hablad con jóvenes hongkoneses sobre sus ideales y su experiencia en la calle. Sentid todo el glamur y el trauma de la ciudad.

6. **Escribid a los representantes gubernamentales** y diputados para que impongan sanciones

a los representantes del Gobierno y a la policía de Hong Kong. Escribid una carta al Consejo de Seguridad de las Naciones Unidas e instadle a que presione a China para garantizar la libertad y la democracia en Hong Kong. Las plantillas pueden descargarse en www.demosisto.hk.

7. **Firmad las peticiones en línea que apoyan a Hong Kong** y a todos los lugares del mundo en los que la libertad de expresión de los ciudadanos y otros derechos fundamentales están amenazados.

8. **Apoyad las empresas y medios de comunicación** que se han enfrentado al terror blanco de China o a otros regímenes autocráticos. De igual modo, evitad las empresas que sacrifican la libertad de expresión a cambio de beneficios a corto plazo, cediendo ante gobiernos opresores. En www.demosisto.hk hay una lista de empresas que os animamos a apoyar y otras que evitar.

9. **Haced un donativo** al Hong Kong Democracy Council con sede en Washington D. C. (www.hkdc.us/donate), que ha presionado incansablemente a lo largo de los años al Gobierno de Estados Unidos para que apoye la democratización de Hong Kong.

10. **Contad a cinco de vuestros amigos** lo que hayáis aprendido de este libro y compartid la historia de Hong Kong con ellos. Explicadles por qué apoyar a Hong Kong es secundar la libertad y la democracia.

Una de las preguntas que más me hacen cuando doy charlas a estudiantes en el extranjero es cómo pueden actuar los ciudadanos de a pie ante el deterioro de los valores democráticos de su país. Sienten tanta solidaridad con la situación de Hong Kong como por la disminución de libertades en su país, si no más. Con el ascenso de los partidos de extrema derecha en Occidente y la oleada de populismo en otras partes del mundo, incluso las economías avanzadas se ven en el mismo escenario que la «rana hirviendo» al que se enfrenta Hong Kong. A continuación expongo cinco medidas que pueden tomarse para contrarrestar esta amenaza mundial:

1. **Seguid las noticias** e identificad las señales de alarma donde viváis, como el aumento de la polarización política, la vigilancia de los ciudadanos, los anuncios pagados por grupos de intereses especiales y el uso de violencia en las protestas no violentas.

2. **Decid lo que pensáis sobre esas señales de alarma** compartiendo vuestras reflexiones en las redes sociales y uniéndoos a un grupo de sociedad civil que represente vuestras preocupaciones.

Recordad el eslogan: «Cuando veas algo, di algo». Dad un paso más y acudid a un acto organizado por la sociedad civil. Comprobad si os hace sentir que tenéis más poder y energía. De no ser así, probad en otro.

3. **Aprended a identificar la información errónea** en las redes sociales y en las fuentes de noticias. Visitad sitios web en los que se verifica la información y comentad las noticias con vuestros amigos, es la mejor forma de conseguir educación mediática y perfeccionar la capacidad para distinguir las noticias verdaderas de las falsas.

4. **Presentaos como voluntarios en la campaña** para las elecciones de algún candidato político en el que os veáis reflejados. Pocas cosas os aportarán una mejor comprensión del proceso democrático que entender el sistema electoral y sumergiros en una campaña de principio a fin.

5. **Organizad concentraciones a pequeña escala** por las cuestiones que os preocupen o en respuesta a las señales de alarma que hayáis identificado con el primer paso. Trabajad con amigos con ideas afines para confeccionar pancartas y carteles. Recordad: toda campaña exitosa comienza con una voz, un folleto y un discurso. Creed en el poder del individuo.

En las intranquilas calles de Hong Kong se oye un dicho muy popular: «Es nuestro problema y lo resolveremos nosotros». Es una muestra de valor, fe y autosuficiencia. Pero ¿y si nuestro problema es también el vuestro? ¿Y si nuestro problema es tan grande que la única forma de resolverlo es uniéndonos?

Todo lo que he hecho desde los catorce años —Escolarismo, Demosistō, la Educación Nacional, la Revolución de los Paraguas, del despacho del director a la celda de una cárcel, pronunciar discursos en la Plaza Cívica o en Capitol Hill— me ha traído aquí: al momento más desesperado, pero también el mejor, de Hong Kong. Con vuestra ayuda y la de la comunidad internacional, Hong Kong vencerá, al igual que la democracia en todo el mundo, porque este canario quizá sea la mejor forma que tiene el mundo para contrarrestar la creciente hegemonía de China.

Todos estamos implicados.

Epílogo

結語

*E*n octubre de 2019, dos semanas después de hacer mi declaración en Capitol Hill, la Cámara de Representantes de Estados Unidos aprobó la Ley de Derechos Humanos y Democracia de Hong Kong. Un mes más tarde, el Senado de Estados Unidos la ratificó, antes de que el presidente Trump la firmara y convirtiera en ley. El senador Marco Rubio, que había propuesto la ley, dijo en el Senado: «Estados Unidos ha enviado un mensaje claro a los hongkoneses que luchan por sus preciadas libertades: "Os oímos; seguimos estando con vosotros y no nos cruzaremos de brazos mientras Pekín socave vuestra autonomía"».

Mientras tanto, el senador Josh Hawley redactó la Ley Sé agua, para combatir la coacción que ejercen los Gobiernos de Hong Kong y de China continental sobre la libertad de expresión. La propuesta de ley se presentó dos días después de que las autoridades electorales locales me prohibieran presentarme en las elecciones de consejos de distrito, basándose en que la plataforma de autodeterminación de Demosistō viola la Ley Básica, la misma razón por la que no dejaron presentarse a Agnes Chow a las elecciones al LegCo en 2018.

A pesar de que las sanciones contra los funcionarios hongkoneses son una noticia positiva, han hecho poco por aliviar la tensión en las calles. Mientras escribo estas líneas, la ciudad sigue experimentando brotes de violencia esporádicos. Por ejemplo, en noviembre de 2019, la policía antidisturbios asaltó la Universidad China de Hong Kong y disparó más de 1500 botes de gas lacrimógeno y 1300 balas de goma a los manifestantes, en un solo día de enfrentamientos. Una semana más tarde, la policía asedió la Universidad Politécnica y acorraló a miles de manifestantes durante cuarenta y ocho horas, antes de que la mayoría de ellos se rindiera.

Los prolongados disturbios han paralizado el tráfico de la ciudad y los sistemas de transporte público. Muchos restaurantes, tiendas, bancos y otros negocios se han visto obligados a cerrar. El turismo ha caído en picado y se han cancelado o pospuesto los acontecimientos deportivos y culturales internacionales.

Estos incidentes han tenido unas consecuencias trágicas para el país. Además del impacto de la continua guerra comercial Estados Unidos-China, Hong Kong evitó oficialmente entrar en recesión a finales del año pasado, después de que su actividad económica se redujera durante dos trimestres seguidos. Aunque el Gobierno se apresuró a acusar a los manifestantes, gran parte de la culpa reside en la policía, que ha respondido a las manifestaciones con una demostración de fuerza excesiva y, en algunos casos, con represalias brutales.

No parece que vayan a cesar las manifestaciones contra la Ley de Extranjería. La campaña se ha convertido en una crisis continua que mantiene a la sociedad de Hong Kong en un estado constante de olla a presión. Otro error del Gobierno o de la policía antidisturbios será suficiente para que vuelva a resurgir la violencia en un ciclo interminable de enfrentamientos, represión y detenciones. Nadie sabe cuándo y cómo ni si los disturbios cesarán. Lo que sí tenemos claro es que cuanto más duren, mayor será el precio que pagarán ambos bandos. Se ha detenido y acusado de delitos graves como alteración del orden público, incendio provocado y agresión a oficiales de policía a casi cinco mil manifestantes, de los que prácticamente un tercio tienen menos de dieciocho años. También se han recibido informes sin confirmar de muertes falseadas por la policía como suicidios. Se dice que la noche alcanza su mayor oscuridad antes del alba. En nuestro caso, la noche es joven y nuestra contienda se oscurecerá más y se volverá más peligrosa en vez de mejorar.

Mientras tanto, sigo viajando por el mundo para contar la historia de Hong Kong y conseguir apoyo internacional para nuestra causa. Entre viaje y viaje, reservo tiempo para hacer visitas en las cárceles, pues todavía hay varias docenas de activistas entre rejas que necesitan toda la ayuda que podamos proporcionarles. En vista de la cantidad de jóvenes detenidos y acusados por los disturbios políticos que todavía siguen produciéndose, seguramente cientos de ellos perderán la libertad en los próximos meses.

La prisión por motivos políticos es un paso inevitable en el camino a la democracia; así sucedió en Corea del Sur, en Taiwán y también en Hong Kong. Lejos de silenciarnos, la cárcel solo reforzará nuestra resolución. Tenemos cuestiones pendientes y no nos detendremos hasta que consigamos los derechos más fundamentales: el voto libre y un gobierno que rinda cuentas. A partir de ahora dejaremos de pedirlos educadamente y empezaremos a gritar para que nos oiga el resto del mundo.

3 de diciembre de 2019

Agradecimientos

Si he conseguido llegar tan lejos en el camino del activismo político y me he convertido en la persona que soy, ha sido gracias a Dios. Por eso, ante todo, quiero agradecer a Dios que haya velado por mí, por mi familia y por la ciudad por la que lucho.

Nada de lo que hago habría sido posible —o tendría sentido— de no ser por mi familia: mi padre, que me puso el nombre del profeta Josué, me educó para que fuera un hombre honrado y me enseñó a ser tan obstinado y perseverante como él; mi madre, cuya paciencia y cuidado me han ayudado no solo a superar la dislexia, sino también a ser más compasivo y empático, incluso con los que tengo motivos para no serlo. Dicen que cuando te conviertes en activista, arrastras a toda la familia contigo. En los últimos diez años, he puesto a mis padres en situaciones muy difíciles, han pasado muchas noches sin dormir, les he privado de disfrutar más tiempo en familia y no he conseguido compensar los sacrificios que han hecho por mí. Me gustaría pedir disculpas a mi madre y a mi padre, y expresarles mi más sincero agradecimiento.

Después está mi otra familia: los jóvenes compañeros y compañeras de Demosistō. Me gustaría dar las gracias a mi cómplice, Ivan Lam, que ha estado a mi lado durante este trepidante viaje, desde los primeros tiempos de Escolarismo hasta todos los juicios y problemas a los que nos enfrentamos en Demosistō. Ivan nunca espera que le den las gracias y hace tiempo que debería haber destacado sus méritos: es sin duda la persona que goza de más confianza en nuestro equipo. También estoy muy agradecido a Nathan Law por luchar a mi lado. La victoria de Nathan en el LegCo sigue siendo la batalla más bonita que he librado en toda mi carrera política. Gracias también a Agnes Chow, que ha perseverado a pesar de los altibajos de Escolarismo y Demosistō, ante la implacable mirada de los medios de comunicación; a Jeffrey Ngo, cuyos esfuerzos en la búsqueda de contactos internacionales llevó a Demosistō —y a Hong Kong— a la escena mundial; a Chris Kwok, amigo y compañero desde la campaña contra la Educación Nacional; a Lili Wong, que siempre me escucha y me consuela; a Tobias Leung, que trabaja duro y se divierte en la misma proporción; a Arnold Chung, que consigue que me mantenga alerta no compartiendo siempre mis opiniones; a Isaac Cheng, nuestro portavoz más joven; a Tiffany Yuen, que me enseñó a comportarme en público; a Ian Chan, que trabaja incansablemente entre bastidores; a Angus Wong y a Kelvin Lam, que se dedican a las cuestiones de distrito; y a Au Nok Hin, mi mentor en relaciones con la comunidad. Todos me han guiado y soportado a lo largo de los años, y han conseguido que mi viaje en el activismo fuera menos solitario y más colorido.

Gracias a mis amigos y mentores de toda la vida Jacky Yu, Kerrie Wong y Justin Yim, que me han apoyado e inspirado desde los días felices en el UCC; a Dorothy Wong, que vela por sus «niños» de Demosistō, que nos sacó de algunas de las peores crisis de relaciones públicas y prácticamente es nuestra hada madrina; a S. K., que me ayudó a «reintegrarme» en la sociedad civil cuando salí de la cárcel y es la hermana que nunca tuve; a Tiffany C., que me enseñó una lección importante en la vida y siempre ocupará un lugar en mi corazón; y a Fanny Y., a Oscar L. y a K. C., por ser amigos fieles y confidentes que me procuran ánimo y consejos todos los días. Gracias también a S. H., que vino a verme y se ocupó de mis asuntos mientras estaba entre rejas, me apoyó en mis momentos más oscuros y solitarios, y me dio una razón para sonreír incluso en las situaciones más desesperadas.

Me gustaría expresar mi gratitud a todos los periodistas locales y extranjeros que cubren el movimiento prodemócrata en Hong Kong. Su profesionalidad, valor e incansable búsqueda de la verdad son realmente inspiradores. Gracias especiales a las periodistas Vivian Tam y a Gwyneth Ho, que me entrevistaron, escribieron sobre mí y me guiaron desde el primer día. También quiero dar las gracias a mi equipo jurídico, en particular a Jonathan Man, a Donna Yau, a Bond Ng, a Jeffrey Tam y a Lawrence Lok, que me ayudaron en los agotadores juicios y audiencias, y demostraron con su ejemplo el papel crítico que desempeñan los abogados de los derechos humanos en un movimiento político.

Mi más sincero agradecimiento a Martin Lee, el padre de la democracia en Hong Kong, que me enseñó todo lo que sé sobre grupos de presión internacionales y sigue instruyéndome y formándome; a Anna Cheung, que nos apoyó en Nueva York y Washington D. C.; al infatigable Eddie Chu, diputado prodemócrata, que ofreció a Demosistō su apoyo incondicional; al director de cine Matthew Torne, al productor Andrew Duncan y al director Joe Piscatella por creer en mí y contar mi historia en imágenes.

Respecto a este libro, quiero dar las gracias a mi coautor Jason Y. Ng, que nos ha apoyado a mi causa y a mí desde nuestra primera entrevista en el Foreign Correspondents' Club hace años. Ha llevado a buen puerto este proyecto gracias a su destreza como cualificado escritor de no ficción y a desenterrar diálogos olvidados hace tiempo y recuerdos que no creí que fueran relevantes o dignos de mención. Al final, han resultado ser el pegamento que une la narrativa y la chispa que da vida a mi historia. La forma de escribir de Jason está a la altura de su exquisitez culinaria. Ha sido siempre un placer quedarnos hasta altas horas en su casa, compartiendo puntos de vista políticos y su deliciosa comida casera.

También me gustaría dar las gracias a mi agente literario, la editora de Penguin Random House Hana Teraie-Wood y al editor adjunto Drummond Moir, profesionales respetados en su campo, que me han guiado durante el proceso y con los que ha sido un verdadero placer trabajar. Estoy en deuda por el apoyo que ha prestado Penguin Random House a este proyecto, a pesar del ambiente político y de la potencial presión a la que pueda enfrentarse. Este libro, el primero para un público internacional, no habría existido sin su interés y fe en Hong Kong.

Y por último, pero no por ello menos importante, quiero dar las gracias al valiente pueblo de Hong Kong, así como al generoso apoyo que nos ha brindado gente de todo el mundo a mi ciudad y a mí.

JOSHUA WONG

He dedicado mi carrera a escribir sobre Hong Kong, la ciudad en la que nací, mi única fuente de inspiración y, en mi opinión, el lugar más espléndido, cautivador, voluble, paradójico y frustrante del mundo. Contar historias requiere toda una vida de trabajo, pero también constituye un gran privilegio. Cuando me pidieron que coescribiera la biografía de Joshua, me sentí obligado a hacer justicia con su meteórico ascenso, de activista adolescente a icono internacional de los derechos humanos, y también honrado de que me confiaran esa colosal responsabilidad. Me gustaría dar las gracias a Joshua por su confianza y fe en mí y, en especial, por todo lo que ha hecho por nuestra ciudad. Hong Kong tiene suerte de contar con un luchador como él.

Me gustaría dar las gracias a todos los que me han ayudado a documentarme, sobre todo a la familia de Joshua y a sus amigos y compañeros de Demosistō. También estoy muy agradecido a mi compañero Jack Chang, por aguantarme durante estos meses de reclusión para escribir; a mi agente, por su paciencia y orientación; a la editora Hana Teraie-Wood y al editor adjunto Drummond Moir, tan intuitivos como agradables; y a Penguin Random House, por respaldar este proyecto, que requiere valor y entereza.

Mientras se imprime este libro, Hong Kong sigue envuelta en una crisis política sin precedentes, tanto en escala como en intensidad. Me gustaría dar las gracias a todas las mujeres y hombres jóvenes que han salido a la calle para luchar por el futuro de nuestra ciudad con lo poco que tienen.

Jason Y. Ng

Cronología
de los principales acontecimientos

1842:	China cede la isla de Hong Kong al Reino Unido.
1 de octubre de 1949:	Mao Zedong funda la República Popular de China.
1958-1962:	Gran Salto Adelante en China.
1966-1976:	Revolución Cultural en China.
19 de diciembre de 1984:	Firma de la Declaración Conjunta Sino-británica para la devolución de Hong Kong.
4 de junio de 1989:	Masacre en la plaza de Tiananmén, Pekín, China.
1 de julio de 1997:	Transferencia de soberanía de Hong Kong, del Reino Unido a China; Tung Cheehwa, primer jefe ejecutivo de Hong Kong.
1997-1998:	Crisis financiera asiática.
11 de diciembre de 2001:	China entra en la Organización Mundial del Comercio.

2003:	Brote del síndrome respiratorio agudo grave (SARS, por sus siglas en inglés) en Hong Kong.
25 de junio de 2005:	Donald Tsang, segundo jefe ejecutivo de Hong Kong.
2011:	China se convierte en la segunda mayor economía del mundo.
29 de mayo de 2011:	Joshua Wong funda el grupo de estudiantes activistas Escolarismo.
1 de julio de 2012:	C. Y. Leung, tercer jefe ejecutivo de Hong Kong.
8 octubre de 2012:	C. Y. Leung anuncia la retirada de la asignatura Educación Nacional después de que Escolarismo organizara una concentración masiva con miles de participantes.
15 de noviembre de 2012:	Xi Jinping es elegido presidente y líder supremo de la República Popular de China.
31 de agosto de 2014:	El Comité Permanente de la Asamblea Popular Nacional de China anuncia la «decisión del 31 de agosto», que restringe la libre elección del jefe ejecutivo de Hong Kong.
26 de septiembre de 2014:	Irrupción de miembros de Escolarismo en la Plaza Cívica, por la reforma electoral restrictiva.
28 de septiembre de 2014:	La policía antidisturbios reprime

con gas lacrimógeno a los manifestantes prodemócratas pacíficos; comienzo de la Revolución de los Paraguas.

15 de diciembre de 2014: Fin de la Revolución de los Paraguas.

8 de febrero de 2016: Disturbios civiles en Mongkok durante el Año Nuevo Chino.

10 de abril de 2016: Joshua Wong y Nathan Law cofundan el partido político Demosistō.

21 de julio de 2016: Condena de Joshua Wong, Nathan Law y Alex Chow por reunión no autorizada e incitación, por asaltar la Plaza Cívica en 2014.

4 de septiembre de 2016: Nathan Law se convierte en el diputado más joven en la historia de Hong Kong.

1 de julio de 2017: Carrie Lam, cuarta jefa ejecutiva de Hong Kong.

14 de julio de 2017: Nathan Law pierde su escaño en el LegCo por no recitar correctamente el juramento durante la ceremonia de la jura del cargo (Caso del juramento).

17 de agosto de 2017: Encarcelamiento de Joshua Wong, Nathan Law y Alex Chow por reunión no autorizada e incitación.

13 octubre de 2017:	Condena de Joshua Wong, Lester Shum y otros manifestantes por desacato.
9 de abril de 2019:	Condena del trío Ocupa el centro y otros manifestantes por su implicación en la Revolución de los Paraguas.
16 de mayo de 2019:	Segundo encarcelamiento de Joshua Wong, por desacato.
9 de junio de 2019:	Comienzo de la crisis política por el proyecto de Ley de Extradición.
16 de junio de 2019:	Dos millones de hongkoneses salen a la calle para pedir la retirada del proyecto de Ley de Extranjería.
5 de septiembre de 2019:	Carrie Lam anuncia la retirada del proyecto de Ley de Extranjería.
24 de noviembre de 2019:	Las elecciones a consejos de distrito otorgan una victoria aplastante a los grupos prodemócratas.
28 de noviembre de 2019:	Estados Unidos promulga la Ley de Derechos Humanos y Democracia en Hong Kong.

Este libro utiliza el tipo Aldus, que toma su nombre
del vanguardista impresor del Renacimiento
italiano, Aldus Manutius. Hermann Zapf
diseñó el tipo Aldus para la imprenta
Stempel en 1954, como una réplica
más ligera y elegante del
popular tipo
Palatino

***

**

*

Somos la revolución se acabó
de imprimir un día de invierno
de 2020, en los talleres gráficos
de Liberdúplex, s.l.u.
Ctra. BV-2249, km 7,4,
Pol. Ind. Torrentfondo
Sant Llorenç d'Hortons
(Barcelona)